われ
わ　　　　　　　　　　　　　　　　　　　　　　　　　　　　　ラスが
活躍した。

4500年前

シュメールに、
はじめて
学校ができた。

4000年前

エジプト人がナイル川から
クロコディロポリスまで
大規模な運河を掘った。

5000年前

エジプトが統一され
はじめてファラオが
登場した。

3300年前

記録に残るはじめての
伝染病が発生した。

5200年前

シュメールで「書く」ことが
考えだされた。

時間のながれ

人類の

Unstoppable Us

物語

どうして世界は
不公平なんだろう

ユヴァル・
ノア・ハラリ

リカル・ザプラナ・ルイズ[絵]　西田美緒子[訳]

河出書房新社

Author: Yuval Noah Harari
Illustrator: Ricard Zaplana Ruiz

C.H.Beck & dtv:
Editors: Susanne Stark, Sebastian Ullrich

Sapienship Storytelling:
Production and management: Itzik Yahav
Management and editing: Naama Avital
Marketing and PR: Naama Wartenburg
Editing and project management: Ariel Retik, Nina Zivy
Research assistants: Jason Parry, Jim Clarke, Zichan Wang, Corrine de Lacroix, Dor Shilton
Copy-editing: Adriana Hunter
Design: Hanna Shapiro
Diversity consulting: Slava Greenberg
www.sapienship.co

Cover illustration: Ricard Zaplana Ruiz

Unstoppable Us: Why the World Isn't Fair (volume 2)
Copyright © 2023 Yuval Noah Harari. ALL RIGHTS RESERVED.

Kawade Shobo Shinsha Ltd. Publishers, 2023
2-32-2 Sendagaya, Shibuya-ku, Tokyo 151-0051, JAPAN
https://www.kawade.co.jp/

この本<ruby>本<rt>ほん</rt></ruby>を、

すでに<ruby>世<rt>よ</rt></ruby>を<ruby>去<rt>さ</rt></ruby>った<ruby>人々<rt>ひと びと</rt></ruby>、

<ruby>今<rt>いま</rt></ruby>を<ruby>生<rt>い</rt></ruby>きている<ruby>人々<rt>ひと びと</rt></ruby>、

そしてこれから<ruby>生<rt>う</rt></ruby>まれてくる<ruby>人々<rt>ひと びと</rt></ruby>、

すべてに<ruby>捧<rt>ささ</rt></ruby>げる。

<ruby>私<rt>わたし</rt></ruby>たちの<ruby>祖先<rt>そ せん</rt></ruby>が、

<ruby>今<rt>いま</rt></ruby>ある<ruby>世界<rt>せ かい</rt></ruby>を<ruby>作<rt>つく</rt></ruby>りあげてきた。

<ruby>未来<rt>み らい</rt></ruby>の<ruby>世界<rt>せ かい</rt></ruby>がどんなものになるかを

<ruby>決<rt>き</rt></ruby>めることができるのは

<ruby>私<rt>わたし</rt></ruby>たちだ。

もくじ

そんなの
不公平だ

「そんなの不公平だ！」

　この言葉を、何回聞いたことがあるだろうか。自分で言ったことがあるかもしれないね。たぶん、とてもたくさん。

　世のなかには、信じられないほど裕福な人たちがいる。そういう人たちはプールつきの大邸宅で暮らし、自家用ジェット機でとびまわり、皿洗いも部屋の掃除もしなくていい──召し使いがぜんぶやってくれるからだ。一方、とても貧しい人たちもいる。そういう人たちはトイレもない小さな小屋に住み、雨に濡れながらバスがくるのを待ち、だれかほかの人が使った、よごれたお皿を洗いにでかける。

　世のなかには、とほうもない力をもっている人たちがいる。そういう人たちはルールを作り、おおぜいの前で繰り返し演説をし、みんなに何をすればいいかを教える。一方、ほとんど力のない人たちもいる。そういう人たちはルールに従い、リーダーが話をすれば拍手をし、教えられたとおりのことをする。それって公平なのかな？

　子どもたちはよく、「大きくなったら何になりたい？」と聞かれるね。でも、世界じゅうの多くの国では、子どもたちが何になりたいかを自分で選ぶことなんてできない。自分では大統領になりたくたって、貧しい家に生まれたなら、大統領が仕事をしている建物のいちばん近くまで行ける機会は、門の前の道を掃除するときくらいだろう。

　大昔からずっと、そうだったのだろうか。人類ははじめから、裕福な人と貧しい人、主人と召し使いに、わかれていたのだろうか？

　これが世界の自然な姿だという人たちもいる。世界じゅうどこを見ても、強い者が支配し、弱い者は従わなければならない。昔の世界が舞台になっている映画やビデオゲームにだって、大きいお城に住んで広大な王国を支配し、何百万人もの人たちに命令を下している王や女王がたくさん出てくる。

　でも、ほんとうのことを言うと、はじめから王や王国があったわけではない。何百万もの人類が暮らす王国なんて、まちがいなくどこにもなかった。1万年ほど前までは、いくつかの家族が集まったり、もう少し多くの遠い親戚や知り合いが集まったりして暮らし、ひとつの集団の人数はいちばん多くても2000人か3000人だったからね。

　たしかにそのころにも、集団の先頭に立って、あれをしろ、これをしろとみんなに命令したがる人はいただろう。ただし、集団のリーダーになったところで、それほど大きい力をもてたわけでもない。大きいお城を築いて、広大な王国を征服するには、人の数が足りなかったからだ。それに、上に立った人が威張りちらして、あまり口うるさくすれば、みんながいっせいに逃げだして、威張った人を置き去りにしてしまったにちがいない。

　でも今から1万年前に、とっても不思議なことが起きて、あらゆるものをすっかり変えてしまった。何百万人もの人々からだんだんに力を奪い、ほんのひとにぎりの野心をもった人たちだけが、ほかのみんなを支配できるようになる、何かが起きた。

　さて、1万年前には何が起きて、どうやって一部の人だけがほかのみんなを支配できるようになったのだろうか？　どうしておおぜいの人たちが、たった数人のリーダーに従ってもいいと思ったのかな？　それに、王と王国はどこから生まれたんだろう？

　その答えは、世界じゅうのあらゆるお話のなかでも指折りの、とびきり不思議なお話だ。

そしてそれは、ほんとうにあった物語だ。

第1章

すべてを支配する

いちいち
命令しないで

　私たちの物語は、今からおよそ1万年前の、中東と呼ばれる地域ではじまる。そこで暮らす人々は狩猟採集民だった。そのころは、どこで暮らしていた人たちもみな同じだ。狩りをして野生のヒツジやガゼル、ウサギやカモをつかまえる。採集に出て野生のコムギやタマネギ、レンズマメやイチジクをとる。ときには海岸や湖や川で魚を釣ったり、カニをつかまえたり、カキをとったりする。そんな生活をしていたんだよ。**人類はもう、あたりでいちばん強い動物になっていた。**それでもまだ、何かを支配しようとはしなかった。植物を集めてはいたけれど、植物に生える場所を命令したりはしなかったし、動物をつかまえてはいたけれど、動物に行き先を命令したりはしなかったからね。

　毎日の暮らしは、楽しいことばかりだったわけではない。まわりにはまだヘビのような危険な生きものがいて、冬には猛吹雪、夏には熱波と、あらゆる災害も起きた。ときには近くの人たちとけんかをすることもあっただろう——どの時代を見ても、人がみんなと仲よくするのは難しいらしい。

　それでも、ほとんどの人はたいてい食べるものには困らなかった。それに自由な時間もたっぷりあったから、幽霊の話をしたり、野営地でいねむりをしたり、近くの人をたずねて何かの祭りを楽しんだりすることもできた。**争いはほとんどなかった。伝染病もほとんどなかった。飢えることもほとんどなかった。**季節が変わってガゼルがどこかに移動してしまったときや、熟したイチジクが近くで見つからなくなってしまったときには、ただガゼルとイチジクが手に入る別の場所に野営地を変えればいいだけの話だった。

世界を変えた植物

でも一部の特別な場所では、食べるものがとても豊富にあって、人々はほとんど野営地を変えずにすんでいた。だから一年じゅう同じ場所にとどまっていることができたんだ。そんな特別な場所には、ほかでは見かけない植物がたくさん生えていた。その草は、とりわけ大きいわけでも美しいわけでもなかったけれど、私たちの物語のはじまりになり、そして世界全体をすっかり変えてしまった。**その植物というのは、穀類──コメやムギなどの穀物を収穫できる草──のことだ。**

きみはたぶん毎日、穀物を食べているだろうね。コムギ、オオムギ、コメ、トウモロコシ、キビやアワなどが穀物で、穀物からはパンにクッキー、ケーキにパスタ、それに麺類も作られる。朝ごはんにシリアルを食べることがあるかもしれない。その材料も穀物だ（「シリアル」は英語で穀物のことだよ）。でも今からおよそ1万年前までは、人類が穀物を食べることはほとんどなかった。

穀類はどこにでも生えていたわけではなく、たとえばコムギは、アメリカ、中国、オーストラリアにはまったくなかった。**コムギが生えていたのは中東の一部の地域だけ**で、そこでも広々としたあたり一面のコムギ畑があったわけではない。こっちの丘の上に少しだけ、あっちの丘の上に少しだけ、生えているというぐあいだ。だから中東でも、ほとんどの採集民は穀物に目もくれなかった……でも、なかには、注目した人たちもいた。

人類がいつ、どこで、穀物に関心をもったのか、くわしいことはわかっていない。

でも想像してみることはできるね──ある日、どこかの集団の女の子が、別の集団の女の子に出会ったかもしれない。ひとりは、あちこちを歩き回っていろいろな植物や動物を探していた子で、もうひとりは、ほとんどいつも同じ場所にいてコムギの実をたくさん集めていた子だった。

「こんにちは」と、ひとりが言った。「みんなは私のことを『ブラブラ歩きのワンダ』って呼ぶの。私はあちこち、あてもなく歩きまわるのが大好きだか

らよ。あなたの名前は？」

「私は『コムギ集めのウィーティー』って
呼ばれているよ。コムギがほんとうにほ
んとうに、だーい好きだからね」

「コムギですって？　うぇ〜私はあんなもの、
ぜったいに集めないわ。朝から晩までとりつづけたって、ぜんぜん足りな
いもの。それに、もし、たくさんとれたとしても、コムギの実はすごーくかたいしね。
前にコムギをたくさん見つけたときには、歯が欠けちゃったし、ずっと噛みつづけて
いたから頭がすごく痛くなって、それから3日はお腹だって痛くしちゃったのよ！」

「やり方が悪かったんだよ！」と、ウィーティーは大きな声を出した。「**コムギの実は、
そんなふうに、ただ集めただけじゃ食べられないからね！**　まず野営地にもって帰り、
かたい殻をむいて、こまかくくだく。そうやってくだいてできた粉に水をまぜ、よくこ
ねてから、たき火の近くに置いた大きくて平らな石の上にのせておく。そのままにして、
ちょっと待っていれば——ほら、おいしいパンのできあがり！　おいしいだけじゃなく
て、歯も欠けないし、頭もお腹も痛くなんかならないよ！」

「ずいぶんと手間がかかるのね！」と、あきれたようにワンダは言った。「私はイチ
ジクと魚のほうがいいわ」

「うーん、たしかに。たしかにめんどうだね」と、ウィーティーはうなずく。「でもコ
ムギには、イチジクと魚よりもずっとずっといいところが、ひとつあるんだよ」

「それなら教えて。あのカラカラに乾いた、ちっちゃい粒の、何がそんなにすごい
の？」

「どういうことかというとね、やわらかいイチジクや魚なんかは、ていねいに干した
り煙でいぶしたりしておかないと、すぐに腐ってしまうのが問題なんだよ。
3日のあいだ放っておいた魚を食べてみたことはある？」

「うーん、そうねえ、たしかに食べるのは無理！」

「**わかった？　穀物なら、まったくそんなことはなくて、
何か月もしまっておける。問題なしにね！**　収穫の季
節になると、私のいる集団ではみんなができるだけた
くさんの穀物を集めて、村にしまっておくんだよ。
そして収穫がない時期には、あなたたちと同じよう

に狩りをしたり、ほかのいろんなものを集めたりする。イチジクをとることもあるし、ガゼルをつかまえることだってある。それでもときどき、つかまえるものも集めるものも、何も見つからないことがあるんだ」

「そうしたら、どこか別の谷に移動するんでしょう？」

「ちがうよ。村に戻って、たくわえてある穀物を取り出し、粉にしてパンやおかゆを作る！　収穫の季節に穀物をたくさん集めておけば、そうやって一年じゅう、同じ場所で暮らすことができるよ」

ひとつの頭に5つの帽子

　1万年以上も前に、穀物を集める人々はこうして中東で定住する村を作りあげていった。**十分な穀物のたくわえがあれば、人々はあまり動きまわらずにすんだ。**そして時がたつにつれ、じっさいには動きまわるのがどんどん難しくなっていった。村にさまざまなものを置いておくようになり、それがどんどん増えていったからだ。採集民はたいてい、ほとんどものをもっていなかったので、どこかに行こうと決めたら、ただ立ち上がって歩き出せばよかった。でも穀物をたくわえた人々の場合、そうかんたんにはいかなかった。

「ねえ、ワンダ。いつもどこで眠っているのか教えてよ」と、ウィーティーがたずねたかもしれない。

「いいわ。あのね」と、ワンダは説明をはじめる。「野営地を築くときに、草や木の枝を集めてきて小屋を作るの。1時間もあればできちゃうから」

「ふうん……そうなんだ……私たちはもう野営地なんかで暮らしてないよ！」と、ウィーティーは自慢げに言った。「私たちには村があるから。家が並んでいる村が！石をたくさん集めてきて、木の幹を切り倒して、泥レンガを作って、ちゃんとした家を建てる。そしてそこで一年じゅうずっと暮らしてる。手間はかかるけれど、それだけの価値はあるんだ。とくに嵐のときにはね」

「ああ、嵐はだいきらい！　洞窟を見つけて隠れることもあるけど、私たちはたいてい木の下にみんなで集まるしかなくて、ずぶ濡れになって寒さで震えながら、嵐が通りすぎるのを待っているだけ」

「そうなんだ！　私はもう嵐なんかぜんぜんこわくないよ。ただ、雨が屋根を打ちつける音、風がドアをガタガタいわせる音を聞きながら、あったかいベッドにもぐって寝ているだけだから！」

「うわー、私もそんな家がほしいなあ……でも、どこかほかに引っ越したくなったらどうするの？　その家を、どうやって動かすの？」

「引っ越しなんかしない。**どうして引っ越したいなんて思うのかな？**　家を建てるのは、すごくたいへんなんだよ。それに穀物があるしね！　もし引っ越しなんかしたら、

穀物の倉を運べないよ」

「運べないでしょうね」と、ワンダもわかったという顔で答えた。「革で作った私の小さい袋にナイフと針を入れて運ぶだけだって、たいへんなんだから」

「ナイフと針だけしかもってないの？　私たちがもっている道具は、もっともっと、い〜っぱいあるよ。穀物を収穫するのに使う石の鎌、穀物をすりつぶすのに使うすりこぎとすり鉢、食べものを煮たり焼いたりするかまどだってある。**引っ越しするなら、それをぜんぶ置いていかなくちゃならない**」

「ほんとうにいっぱい、ものをもっているのね」

「もっとある」と、ウィーティーは答えた。「もっともっと、いっぱい。ほかにもいろんなものをもってるよ。たとえば昨日も、このきれいな光る石を見つけたから家にもって帰った。このあいだは、私たちの村の人たちが狩りでしとめたシカの角が、すばらしく大きかったから、その角を家の壁にかざった。とってもすてきなんだ！　上着と帽子も、ぜんぶその角にかけられるしね！」

「帽子をぜんぶ？　帽子を、いくつももっているってこと？」

「そうだよ。キツネの歯でかざった古い帽子に、オオカミのしっぽで作った新しい帽子、クマの毛皮の帽子、それから花をかざったすてきな麦わら帽子が２つ！」

「どうしてそんなにたくさん帽子がいるの？　頭はひとつしかないのに！」

　ウィーティーも村のほかの人たちも、ときどき自分がもっているものをぜんぶ眺めては、なんだかうれしくなっていた。でもときどき、よくわからなくなることもあった。いつもブツブツ文句ばかりつける村人は、こんなふうに言いだした。「あーあ、この村はもう好きじゃない。ものがいっぱいだし、きたないし。それに、とんでもなく騒がしい！　まわりに人が多すぎる。もうパンとおかゆを食べるのも、あきあきした。毎日おかゆばっかりなんて！　イチジクとガゼルのステーキが食べたいなあ。ゆうべなんか、だれかがお腹をこわしたみたいだよ。しかも私の家のすぐ裏で！　信じられるかい？　もう、うんざりだ。どこかほかの場所に行こうよ」

「言いたいことはよくわかる」と、人々は大きくうなずいた。「でも、家にいっぱいあるものはどうすればいいかなあ？　それに、倉にある穀物は？　あんなにがんばって働いて、やっと集めたのに！　いつかイチジクやガゼルが見つからない日がきたらどうする？　だめだ──やっぱりここにいるほうがいい」

怠け者の考え

コムギの実のひと粒ひと粒は、とっても小さい。だから、ウィーティーやそのほかの穀物を食べる人たちがコムギの実を集めて村にもち帰るたびに、そのうちの何粒かがとちゅうで落ちて、なくなった。もしもきみが自分のもちものをなくしたら、たとえばスマートフォンを落としてしまったら、とっても慌てるだろう。何時間もかけて捜しまわるはずだ。でも私たちの祖先はコムギを少しだけ落としても、ほとんど気づかず、捜しまわることもなかった。それが重大なことだと思わなかったからだ。

でもそれは、じっさいには、とっても重大なことだった。

きみがスマートフォンを落としても、そこからスマートフォンの木が生えることはぜったいにないよね。でも落としたコムギの実からは、新しいコムギが芽を出した。だから、その人たちがいつも歩いていた小道に沿って、それからその人たちが暮らしていた場所のまわりでも、どんどんコムギが芽を出し、育つようになった。

それを見て、新しい考えを思いついた人たちがいる。その人たちは倉にいっぱい穀物をたくわえておきたかったけれど、遠くの丘まで集めに行って、また村までもって帰るのが、とてもめんどうだと思っていた。川で魚をとったり木に登って鳥の卵を盗んだりするのにくらべて、ずっと難しいうえに、ひどく退屈だったからね。それに日照りが

つづいた年にはコムギがほとんど育たなかった。**そこで村人たちは、もっと楽に暮らせる方法を探していた**——あまりたいへんな思いをしないで穀物をたくさん手に入れる方法は、ないものだろうか。

　たぶんそんなときに、だれかが——その人は村いちばんの怠け者だったのかもしれないけれど——とってもいい考えを思いついた。「ちょっと待って、どうして遠くの丘から丘へと探しまわって、あっちで少し、こっちで少しと、コムギの実を集めなくちゃならないんだ？　もしコムギがどこに生えているかがわかれば、ずっとかんたんなはずだよ。ぼくたちがいつも歩いている小道の脇には、ほかの場所よりたくさんコムギが生えているのに、みんなは気づいてる？」

　「もちろんだ」と、ほかのだれかが答えた。「それはきみが怠け者で、小道を歩きながらコムギの実を落としても、ちゃんと拾わないからさ」

　「でも、それって悪くないよ！」と、「怠け者のレイジー」は言い張った。「いつもの小道のそばでコムギが育てば、暮らしはずっと楽になるんじゃないかな？　もう探しに行かなくてもよくなる！　だから思ってたんだ。**コムギを村のすぐそばで育てる方法が見つかるんじゃないかって**」

　「どうやって？」

　「コムギは、コムギの実から生えてくるよね？　だから、たぶん、えーと——今、話しながら考えたんだけど——もしかして——ただ小道を歩きながら知らないうちにコムギの実を何粒か落とすんじゃなくて、村のまわりにコムギの実をていねいにまき散らしておくのはどうだろう。ひと粒の実からコムギが生えて、そこには10粒の実がなる。10倍の実が手に入り、しかもそれが遠い丘の上じゃなくて、みんな村のすぐそばに生えてくるんだよ！」

　「なんてバカなことを言ってるんだ！」と、穀物を食べるのが大好きな男が叫んだ。「食べものを食べないで、捨てるだって？　そんな話、聞いたこともない！」

　「捨てるわけじゃない」と、レイジーは根気強く説明した。「それは『投資』だ。きょう実をまいておくと、つぎの年には、ずっとたくさんの食べものが手に入るからね」

　「そんなのは、うまくいきっこない」と、物知りのおばあさんが答えた。「村のまわりには高い木や低い茂みがいっぱいあるから、コムギに日が当たらない。それに、木からは大きい根が張っていて、土から水と栄養分をぜんぶ吸い上げている。だからコムギは森のなかではよく育たないよ。レイジー、いいかい？　高い木や低い茂みの

あいだにコムギをまいても、コムギの実はあまりたくさんとれないってことさ」

「でも、ちょっと待って」と、村でいちばん抜け目ない男が話をさえぎった。「それなら、はじめに木と茂みを焼き払って、それからコムギをまけばいいんじゃないか？　それならコムギには競争相手がいなくなる。何か月かするとコムギの実がたくさんできるから、わざわざ遠くまで歩いていかなくても集められるはずだ」

さて、これはまったく新しい考えだった。コムギが生える場所を──木や茂みがあってはいけない場所を──人間が決めようとしていたからだ。**人間がほかの生きものを支配しようとしていた。**

なかにはこれを聞いてうろたえ、そんなことをしてはいけないと言う者もいた。「人が、ほかの生きものの生き方を決めてはいけないよ。コムギは私たちに、ああしろ、こうしろと、命令なんかしない。だから私たちもコムギを思いどおりにしようとしてはだめだ」。でも、この考えを気に入った者もいて、こう言った。「どうしてだめなんだい？　そりゃあ、大きなシカや勇ましいライオンに命令してはいけないさ。でも相手はコムギだよね？　頭の悪い、ただの小さい植物だ。私たち人間のほうが、ずっと頭がいいんだから」

そこで人々は、そのことについてよく話し合った。何度も何度も話し合い、ずっとずっと話し合った。それでも、どうすればいいかを決めることはできなかった。

悪い予感

やがて、精霊に考えを聞こうということでみんなの意見が一致したかもしれない。そのころはみんな、この世界にはさまざまな幽霊や精霊があふれていると信じていたからだ。いくつかの霊が洞窟に宿り、いくつかの霊が空に宿り、木にも、コムギのような小さい植物にも、それぞれ霊が宿っていると信じていた。何か大事なことを決める前にはそうした霊と話をするのがいつも、よい方法と考えられていたんだね。だから、あたりで霊のことを最もよく知っている専門家はとても大きな尊敬を集めていたんだ。**霊の専門家は霊に話しかけることができるし、質問をして答えを聞けると、だれもが信じていた。**

　その人は霊が宿るという洞窟の奥深くに姿を消し、7 日 7 晩、食べるものを
いっさい口にすることなく、そこで霊の声に耳を傾けつづけていた。そし
てようやく洞窟から出てくると、みんなにこう告げた。「コムギの霊がや
ってきて、やめるようにとおっしゃった。**木々を焼き払い、ほかの生きも
のに何をするか命令したいだって？**　なんとおそろしい！」そこで人々は、
コムギをまくのをやめた。

　けれども時がたち──たぶんそれから 99 年がすぎたころ──どこか
の村のだれかがまた同じことを思いついた。ほかの食べものが足りなく
なったからかもしれないし、盛大なお祭りをしたくて、お客さん用の食
べものを山ほど用意する必要があったからかもしれない。そしてまた、
みんなが話し合い、たくさん話し合ってから、霊の専門家が洞窟に入っていった。で
もこんどは洞窟から出てきたとき、こう言った。「コムギの霊がやってきて、賢い人
間が小さくて弱々しいコムギを助けるのはすばらしい考えだとおっしゃった。コムギ
はまったく気にしない。それどころか、コムギは私たちに助けてもらえて、とてもう
れしいだろう」

　霊の専門家は、コムギの霊に会ってその言葉をはっきり聞いたと、ほんとうに思っ
ていたのかもしれない。でも、とってもお腹がすいて、想像がふくらみはじめただけ
かもしれない。あるいは、何も聞こえなかったけれど、ただその考えが好きだっただ
けかもしれない。それでもとにかくみんなはその答えを聞いて、近くの森を焼き払い、
村のまわりにコムギの実をまいた。

　結果は上々だった。何か月かたったころ、村のすぐ近くでコムギがたくさん芽
を出して、茎をどんどん伸ばしはじめたからね。もうほとんどの人たちが、それ
はとってもいい考えだと思っていた……でも、ひとりのおばあさんだけはち
がった。おばあさんは、まだコムギがどこに生えるかを人間が決め
てはいけないと考えていて、こう言った。「私には悪い予感
がする。みんな、後悔することになるさ」

　　　でも、おばあさんの言葉に
　　　耳を傾ける者は、ひとりもい
　　　なかった。

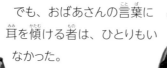

小さい問題が
ひとつ

　村人たちはこの新しい思いつきに大満足で、ほかの村にも同じやり方が広がって
いった。けれどもまた時がたち——たぶんそれから 199 年がすぎたころ——ブツブ
ツ文句ばかり言う村人はブツブツ文句を言い、怠け者の村人は不平をもらしていた。
「問題がある」と、その村人たちは言った。「コムギを土にばらまく方法は無駄が多
い！　せっかくまいた実のほとんどからは、芽さえ出ないんだ。スズメやリスやアリが
やってきて食べてしまうこともあるし、太陽の光が強すぎることもある。ぼくらはリス
に餌をやるために、こんなことをしているのかい？」

　そこでみんなが知恵を出しあい、新しい考えを思いついた。「たしかに私たちはと
っても頭がいいのだから、かわいそうな小さいコムギに、もっと力を貸せるはずだ。
コムギの実をただ落としておくんじゃなくて、**小さい穴を掘り、そのなかに埋めてお
くのはどうだろう**。そうすれば、スズメもリスもアリもその実を見つけられないし、
太陽の光があたっても暑すぎないと思うけどな」

　「そうすれば、もっとずっと能率が上がる！」と、人々はうれしそうに拍手
した。「そのとおり」と、霊の専門家が言ったのは、ほとんどの村人がそ
の考えに賛成しているのに気づいたからだ。「私たち人間は、コムギを
もっと思いどおりにするべきだ。精霊はそれに賛成している」。穀物が

もっとたくさん手に入ると思って、だれもが喜んだ……。

　村人たちは土に穴を掘り、そのなかにコムギの実を入れるようになった。そしてもっと能率を上げるために、**そのための特別な道具も作りはじめた。** 長くてまっすぐな木の枝の先に尖った石をくくりつけて、はじめての鍬を作ったんだ！　そして、大きい石にぶつかるたびにせっかく作った鍬が壊れてしまうので、土をたがやす前に、石をすっかり取りのぞくようになった。**とても骨の折れる仕事だったけれど、やりがいはあった。** 石をぜんぶどかして穴を掘れば、害虫や動物からも、太陽からも、穀物をよりよく守ることができたからね。村のまわりではもっとたくさんのコムギが育つようになり、この新しい考えは、やり方を真似していたほかの村にも広がっていった。

用水路を掘る

　でもやがて──たぶんそれから999年がすぎたころ──まただれかが文句を言いはじめた。その村はきっと、とても乾燥した場所にあったのだろう。「問題がある」と、村人たちは言った。

「みんなで石をどかし、鍬でたがやし、コムギをまいて、いっしょうけんめい働いているよね——それなのに、まだ芽が出ないことがたくさんある！　水が足りないだけなんだ。水がなくてコムギが枯れるなら、あんなに働いて何の意味があるっていうんだい？」

　そこでみんな、このことについて、いっしょうけんめい考えた。いちばん頭のいい村人たちは、髪が抜け落ちるほど頭をかきむしり、霊の専門家は、自分が知っているすべての霊と話し合いに行った。でも最後にこう言ったのは、村じゅうでいちばんの怠け者だった。「そうだ、もっと能率よくできるよ。**穴を掘ってコムギをまいたら、少し水をやっておけば、きっとすごいことになる！**　だから川の水を革の袋に入れて運んでくればいいんだ」

　みんなは少し驚いた——だって村いちばんの怠け者が、もっと働こうって言ったんだからね！　でも、それはいい考えに思えたから、みんなはコムギ畑に水を運びはじめた。

　でもこんどは、みんなが怒って文句を言いはじめるまでに、たった1年と3か月しかかからない。「一日じゅう水を運ぶなんて、もう、うんざりだ！」村人たちは声をそろえてこう叫んだ。なかでも怠け者の叫び声がいちばん大きく、「こんなはずじゃなかったんだ。これじゃあたいへんすぎる！　もう二度と、何かをしようなんて口にしないよ」と言った。

　「ふーむ」と、霊の専門家がつぶやいた。「いい考えがある……水路を掘ればいいではないか。**そうすれば水はひとりでに畑まで流れてくる！**　水路を掘るのは大仕事だろうが、いったんやり終えれば、もうだれも、二度と、水を運ばなくてよくなるのだ！」

　今や人々は、たくさんのいろいろなことを、自分たちで支配しようとしていた。コムギには畑に生えるよう命じ、木々や石には出ていくよう命じ、スズメやリスには畑に入らないよう命じ、水には畑まで流れてくるよう命じた。そしてそれはうまくいった。村のまわりじゅうに、もっともっとたくさんのコムギが生えるようになったからね。するとまもなく、乾燥した土地にあるほかの村の人たちも、用水路をせっせと掘るようになっていった。

　でもまだ問題がひとつだけあった。こんどは、雲のせいだった。

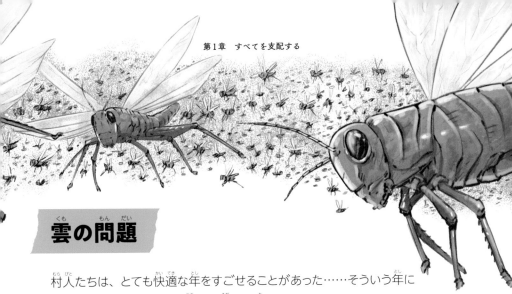

雲の問題

　村人たちは、とても快適な年をすごせることがあった……そういう年に
は、まわりじゅうでコムギが山ほど育ち、食べるものがたっぷりあった。でも、
とてもひどい年をすごすこともあった。そんな村で暮らす女の子が、移動して暮らす
集団の女の子に出会ったら、ぞっとするような新しい話を山ほど聞かせることができ
ただろう。

　「やあ、こんにちは」と、移動して暮らす女の子は言った。「みんなは私を『スズメ
のスパロウ』って呼ぶんだ。いつも動き回ってばかりいるから。あなたは？」

　「みんなからは『コムギ集めのウィーティー』って呼ばれてる。ひいひいおばあちゃ
んと同じ名前なんだ。私は村に住んでいるんだよ」

　「ふうん、村ではどんな暮らしをしているの？」と、スパロウがたずねた。

　「それほど楽とは言えないな。今年は、これまでに見たこともないくらいたくさんの
コムギが育ってた！　ほんとうにすごかった！　でも2か月前、**1本の茎にちっちゃ
い茶色い斑点がある**のに気づいたんだよ」

　「茶色い斑点が1個？」と、スパロウは不思議に思った。「それなら別に、たいした
ことないでしょう？」

　「うーん」と、ウィーティーは答えた。「私もそう思った。でも1週間後には、たくさ
んの茎にたくさんの斑点が見つかった。すぐお父さんとお母さんに話したけれど、ふ
たりとも、どうしたらいいかわからなかったんだ。また1週間がすぎると、斑点はそ
こらじゅうに広がってた！　コムギはほとんどぜんぶ枯れちゃったよ。今は食べるもの
があまりないから、ここならキノコとくだものが見つかるかもしれないと思ってね。も
う、おなかがペコペコ！」

「それって、よく起きるの？　その茶色い斑点」

「いいえ、はじめて。でも、ほかにもある。3年前には、もうすぐコムギが実るっていう時期に、ある朝とってもへんな音で目がさめた。あんな音は、それまで一度も聞いたことがなかった！　それは……それは……ブーンというおそろしい音だった……それで外に出てみたら、お日さまの光がほとんど見えなかった——**どこもかしこも、イナゴだらけだったんだ！**　追い払おうと思って、大声を出したり、手をたたいたりしても、ただただ押し寄せてくるばかり。イナゴの大群はコムギをほとんどぜんぶ、食べつくしていったよ。あの年は、ほんとうに不作の年だった」

「ひどい！」と、スパロウは息をのんだ。

「でも、そんなことがあったのは1回だけ。とにかく私が見たのは1回だけね。おじいちゃんの話だと、だいたい20年ごとに起きるみたい。ただ、おじいちゃんはこわい話が大好きだから、信じていいかどうかわからないけれど。でも、茶色い斑点やイナゴより、もっとひどいものがあって、それは雲がやってこないときに起きるんだよ。そういうときには雨が降らず、川はほとんど干上がって、**用水路にも水がなくなる**。私たちは桶をもって走りまわり、なんとか畑にまく水を見つけようとするんだけど、なかなか見つからない。そうするとコムギはまったく育たないようなものだから、食べるものがほとんどなくなっちゃうんだ」

　このように村人たちは大きい問題をかかえていた。豊作の年にはみんながたくさん食べられるけれど、いったん病気やイナゴや干ばつにみまわれると、人々は飢えてしまう。それでも、採集民のように別の谷に移動することはできなかった。

　そこで村人たちは、霊の専門家のところに行って、何かよい方法はないかとたずねた。するとその人は洞窟に入って7日間すごし、もう7日間

すごし、さらに7日間すごしたあと、ようやく答えを見つけて戻ってきた。ウィーティーがつぎにスパロウに出会ったときには、伝えたい大ニュースがあった……。

神さまの家

「問題は解決したよ！」と、ウィーティーは勝ち誇ったように言った。

「何を解決できたの？　茶色い斑点と、イナゴと、雨雲の問題があったよね？」

「そのとおり！　霊の専門家が、どうすればいいか教えてくれたんだ！」

「霊の専門家？　それは、植物や動物に話しかけている人のこと？　それなら私たちの集団にもいるわ。その人はヤマアラシに話をするのがいちばんすきなのよ」

「ヤマアラシに？　でも、何のために？　**私たちの村の霊の専門家は、雲や川やコムギの霊と話をするんだよ。**重要なのは、その霊たちだから！　じつはね、その人が私たちに、もう霊と呼んじゃいけないって言ったんだ──そんなのは失礼だって！だから今では、『神さま』って呼んでる。それから、その人のことを、霊の専門家って呼んじゃいけないとも言った。そんな名前はくだらないって。これからは『神官さま』と呼ばなくちゃいけない。私はときどき忘れちゃうから、困ったことになるけれどね」

「神官？　そんな言葉、聞いたことなかったな。でも、その人のいい考えっていうのは何なの？」

「その人はね、私たちが雨雲と川とコムギの霊……じゃなくて、神さまとのあいだで、ひとつの取り決めをしなくちゃいけないと言ったんだ。村のまんなかに、神さまのための大きくてすてきな家を建てて、それを『神殿』と呼ぶ。そ

してそこに毎日、贈りものをもっていかなくてはいけない。パンやカモなんかを。そのお返しに、神さまは茶色い斑点とイナゴを近づけないようにしてくれるし、雨雲がいつもやってきて、川にはいつも水がいっぱい流れるようにしてくれる」

「それで、もうそうしたの？　たいへんな仕事を、いっぱいしなくちゃならないように聞こえるけれど」と、スパロウはたずねた。

「まあ、仕事をするのはこわくないからね」と、ウィーティーは自慢げに答えた。「こわいのは、茶色い斑点とイナゴと干ばつのほうだよ。だから働いた。**とってもきれいな神殿を建てて、毎日、毎日、贈りものをもっていくんだ**」

「それで、うまくいってるの？」

「もちろん！　神さまが私たちを守っているからね！　この３年間、もうそろそろ雨雲がくるころだと思うと、いつも雨雲がやってくるし、イナゴはきていない」

「じゃあ、この森のなかで何をしているの？」

「ええと……それは……」。ウィーティーは少しためらってから、こう白状した。「茶色い斑点がまたやってきたから……」

「それなら、その神官さまっていう人は、みんなをだましたのね……」

「そうじゃない、そうじゃないよ！　そんなふうに言わないで！」ウィーティーは不安そうに大声を出した。「そんなことを言うと神さまが怒って、もっと悪いことが起きちゃう！　神官さまがくわしく説明してくれたよ。私たちが去年、少し怠けて、神さまに十分な贈りものをもっていかなかったからだって。ほんとうにはずかしい。たぶん私のせいだから。ある日、私が神さまにパンをもっていく順番のとき、神殿に行くとちゅうでパンの横をちょっとだけかじっちゃったことがある。神さまはきっとそれを見ていて、みんなをこらしめているんだ。私のせいでね！　なんだかおそろしくなった。だからここに何か食べるものを探しにきたってわけ。私が食いしんぼうだったせいで小さい弟がおなかをすかせてるなんて、いやだもの」

「私には、そんなの信じられないな、ウィーティー……その神官さまが、ぜったいにほんとうのことを言ってるって、わかる？」

「わかるよ！　それに神官さまは、神さまが私たちを許してくれるって言ったよ。新しいお告げもあったしね。神さまは、私たちがいっしょうけんめいに働いたのを気に入ってくれて、ほんとうにいっしょうけんめい働けば、いつでもたっぷり食べものを手に入れられるって約束しているんだ。神官さまが言うには、**豊作の年にはこれまで以上**

にいっしょうけんめい働いて、もっとたくさんのコムギを育てなくちゃいけない。そうすれば、不作の年にも食べられるだけのコムギがあるだろうって」

「これまで以上にいっしょうけんめい働く？」スパロウはそう言って、ちょっとあきれたような表情をした。「でも、これまで以上に、何かできるの？」

「神官さまは、村のまわりにもっと遠くまでつづく、もっと広い畑を作り、もっとたくさん用水路を掘るように、って言った。それから、**穀物をたくわえておくためだけに、驚くほど大きい家も建てなくちゃならない**──そういうのを、『穀倉』って呼ぶんだ。神殿の近くに建てる予定にしている。豊作の年にあまった穀物をぜんぶ穀倉にしまっておけば、不作の年があっても十分に食べるものがある。怠け者たちが、ほんとうは必要がないのに穀倉の穀物を使ってしまわないよう、扉にしっかり鍵をかけて、全員が賛成するときだけあけられるようにするんだよ」

「そんな話、聞いているだけで疲れちゃうな！　まあ、みんなちゃんとわかってやっていると思うから。うまくいくといいわね、ウィーティー！」

　ウィーティーが「神官さま」と呼んだ聖職者に言われたとおりのことを人々がすると、たしかに効果はあった──少なくとも、ときどきは。村人たちはそれまで以上に、ずっとずっといっしょうけんめい働かなくてはならなかったけれど、不作の年への備えは前よりよくなっていた。

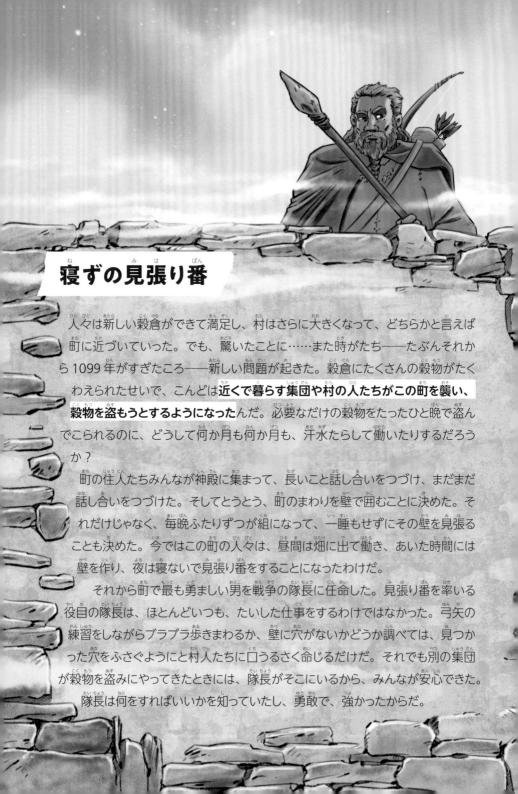

寝ずの見張り番

人々は新しい穀倉ができて満足し、村はさらに大きくなって、どちらかと言えば町に近づいていった。でも、驚いたことに……また時がたち──たぶんそれから1099年がすぎたころ──新しい問題が起きた。穀倉にたくさんの穀物がたくわえられたせいで、こんどは**近くで暮らす集団や村の人たちがこの町を襲い、穀物を盗もうとするようになったんだ。**必要なだけの穀物をたったひと晩で盗んでこられるのに、どうして何か月も何か月も、汗水たらして働いたりするだろうか？

町の住人たちみんなが神殿に集まって、長いこと話し合いをつづけ、まだまだ話し合いをつづけた。そしてとうとう、町のまわりを壁で囲むことに決めた。それだけじゃなく、毎晩ふたりずつが組になって、一睡もせずにその壁を見張ることも決めた。今ではこの町の人々は、昼間は畑に出て働き、あいた時間には壁を作り、夜は寝ないで見張り番をすることになったわけだ。

それから町で最も勇ましい男を戦争の隊長に任命した。見張り番を率いる役目の隊長は、ほとんどいつも、たいした仕事をするわけではなかった。弓矢の練習をしながらブラブラ歩きまわるか、壁に穴がないかどうか調べては、見つかった穴をふさぐようにと村人たちに口うるさく命じるだけだ。それでも別の集団が穀物を盗みにやってきたときには、隊長がそこにいるから、みんなが安心できた。隊長は何をすればいいかを知っていたし、勇敢で、強かったからだ。

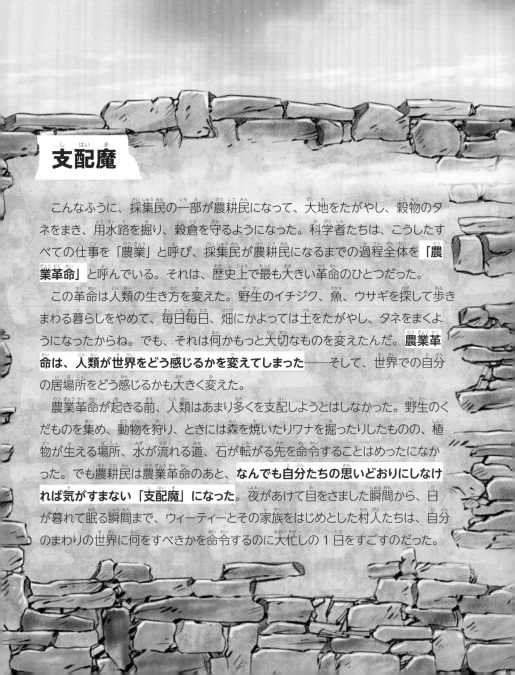

支配魔

　こんなふうに、採集民の一部が農耕民になって、大地をたがやし、穀物のタネをまき、用水路を掘り、穀倉を守るようになった。科学者たちは、こうしたすべての仕事を「農業」と呼び、採集民が農耕民になるまでの過程全体を**「農業革命」**と呼んでいる。それは、歴史上で最も大きい革命のひとつだった。

　この革命は人類の生き方を変えた。野生のイチジク、魚、ウサギを探して歩きまわる暮らしをやめて、毎日毎日、畑にかよっては土をたがやし、タネをまくようになったからね。でも、それは何かもっと大切なものを変えたんだ。**農業革命は、人類が世界をどう感じるかを変えてしまった**──そして、世界での自分の居場所をどう感じるかも大きく変えた。

　農業革命が起きる前、人類はあまり多くを支配しようとはしなかった。野生のくだものを集め、動物を狩り、ときには森を焼いたりワナを掘ったりしたものの、植物が生える場所、水が流れる道、石が転がる先を命令することはめったになかった。でも農耕民は農業革命のあと、**なんでも自分たちの思いどおりにしなければ気がすまない「支配魔」**になった。夜があけて目をさました瞬間から、日が暮れて眠る瞬間まで、ウィーティーとその家族をはじめとした村人たちは、自分のまわりの世界に何をすべきかを命令するのに大忙しの1日をすごすのだった。

ビッグホーンと
メーメー

　何かをもっと支配したくなる気もちは、火事のはじまりにちょっと似ているかもしれ
ない——はじめに小さい炎が見えたと思ったら、何が起きているのかよくわからない
うちに大きく燃えあがり、まわりじゅうに広がることがある。農業革命は、何人かの
人間が何粒かのコムギから芽が生える場所を、自分で決めたいと思ったときにはじま
った。けれどもそのうちに、農耕民たちは目に入るものすべてを支配しようとするよ
うになった。

　「私たちがコムギに畑で育つよう命じ、水には水路を流れるようにと命じられるなら」
と、農耕民たちは考えた。「ヒツジにもウマにもニワトリにも、何をするか
を命令できるんじゃないだろうか」

**動物を支配するのは、コムギや水
を支配するよりもさらに難しかった。**

野生のヒツジもウマもニワトリも、人類の言うことなんか、ぜったいに聞きたくないと思っていたからね！　でも、人々は何度も何度もためしつづけ、少しずつ少しずつ、何頭かの動物たちを命令どおりに動かせるようになっていった。

　オオカミのように勇敢なので「ウルフ」と呼ばれている農耕民の男の子と、リスのようにすばしこいので「スクイレル」と呼ばれている採集民の男の子が出会ったとき、そんな話になったかもしれない。たぶん、スクイレルが木に登って実を集めているときに、それまで一度も見たことがない、とても風変わりな光景を目にしたのだろう──ウルフが手に長い棒をもち、ヒツジの群れを引き連れて得意げに歩いていたんだ！

　「どうなってるんだ？」と、スクイレルは目をまん丸にして、信じられないといった表情で叫んだ。「そのヒツジたちは、ほんとうに、きみのあとについてきてるの？」

　「もちろん、そうさ」と、ウルフは言った。「これはぼくたちのヒツジだからね」

　「『ぼくたちのヒツジ』って、どういうこと？　どうすれば、そんなことができるの？　ぼくがいる集団では、ときどきヒツジをつかまえようとするけど、**ヒツジはぼくたちのことをとってもこわがってるんだ**。近づこうとするだけで逃げる。ほんとうのことを言うと、ぼくもちょっとだけ、ヒツジのことがこわいけれどね」

　「ヒツジがこわいだって？!」と、ウルフは大声で笑った。

　「まあね、こわいさ。すごく長い角をもった大きい雄ヒツジがいて──ぼくたちはそのヒツジを『ビッグホーン』と呼んでいるよ──そのヒツジが前にぼくのおじいちゃんに勢いよく体当たりしたから、おじいちゃんは今でも足を引きずって歩いてるんだ。それから、やせた小さいヒツジもいて、そっちはときどき野営地の近くでにおいを嗅ぎまわってる──好奇心の強いヒツジだからね──でも、だれかが近づくと、飛ぶように逃げ

ていく。**すごく年をとっているか、けがでもしていなければ、ヒツジなんてなかなか**
つかまらない。それにそういうヒツジがいても、たいていはクマやオオカミのほうが、
ぼくたちより先につかまえてしまうしね！」

「ぼくたちのヒツジは、まったくちがうよ」と、ウルフは説明をくわえた。

「見ればわかるな！　きみのすごいヒツジは、いったいどこにいたの？」

「はじまりは、ぼくのおばあちゃんが、まだ若かったころのことだ。そのころ、村人
のだれかがいいことを思いついた。村の近くにある険しい谷の出口をふさぐように柵
を立て、ヒツジの群れをそこに追い込んだんだよ。それから入り口のほうも柵でふさ
いで、ヒツジたちを谷に閉じこめた。クマもオオカミもそのヒツジたちには手を出せ
なかったけれど、ぼくたちは肉が必要になったら、いつでも1頭ずつつかまえること
ができた」

「それは賢いやり方だね。でもきっと、かわいそうなヒツジたちは逃げたかったんじ
ゃないかな？　もしぼくがヒツジなら、死ぬまで谷に閉じこめられるなんていやだもの。
ぼくなら自由に走りまわりたいよ！」

「うーん、そのとおりだ。ぼくもはじめは、ヒツジたちはそんなの好きじゃないだろう
と思ったよ。おばあちゃんの話では、すごく強くて乱暴な、大きい雄ヒツジがいたら
しい。**その雄ヒツジはもちろん、谷に閉じこめられたくなんかなかった。**だからだれ
かが近づくたびに、立派な角をむけて突進したらしい。柵を壊そうとまでしたんだ。
もう少しで柵を倒して、群れのヒツジみんなを自由にできるところだったんだって」

「ヒツジのヒーローみたいだ！」スクイレルは感心したように叫んだ。

「でも、お腹をすかせた村人にとってはヒーローじゃなかった。村長が**そのヒツジを**
殺し、村人みんながたくさんごちそうを食べて、その雄ヒツジの頭蓋骨を神殿の壁
に飾った。それはぼくが生まれるずっと前のことだけれど、その頭蓋骨は今でもまだ
あって、神殿に行けばいつでも見られる」

「そうなんだね……」と、スクイレルは少し落ち着かない様子で言った。

「ほんとうはね」と、ウルフがつけ足した。「おばあちゃんは、とっても頭がよくて勇
気のある雌ヒツジのことも話してくれたよ。いつも谷の急な崖を登ろうとしていたって。
草も食べずに、ずっと走ってはジャンプするのを繰り返していたから、群れのなかで
いちばんやせていた。ぼくのおばあちゃんはその雌ヒツジが大好きで、みんなはその
ヒツジを『メーメー』って呼んでいた。いつでもメーメー鳴いていたから」

「それで、そのメーメーはどうなったの？」と、スクイレルはたずねた。

「ある日、メーメーは崖を登れる小道を見つけ、ほとんど崖のてっぺんまで行ってからメーメー鳴いて、ほかのヒツジたちも自分の後につづいて世界を探検するようにって呼びかけた」

「じゃあ、みんないなくなったの？」

「いや、だれかがそれを見ていて、ヒツジたちを止めた。それに村長がメーメーに腹を立ててしまったからね。いつも逃げようとするうえに、骨にあまり肉がついていないヒツジなんか、牧草の無駄だって言ってさ。だから村長はメーメーを殺し、村人たちは少しだけごちそうを食べて、メーメーの頭蓋骨も神殿の壁に飾った」

「なんてことをするんだ！　かわいそうなメーメー！」と、スクイレルは叫び声をあげた。

「ああ、ほんとうにひどい。でも、それはもうずっと昔の、ぼくが生まれる前のことだ。今ではほとんどのヒツジが、ずっと扱いやすい。あまり問題を起こさないヒツジばかりを飼っているからね。それにね、**いちばんよく言うことを聞く雄ヒツジといちばんおとなしい雌ヒツジの子どもは、両親に似ていて**、それよりもっと飼いやすくなるんだよ。だから今では、こうしてときどきヒツジたちを谷から出してやれる」

「それで、おとなしく戻ってくるわけ？」と、スクイレルは驚いた顔をしてたずねた。

「まあ、いつもそうとは限らない。まだ谷にいるのは好きじゃないみたいだ。そこでぼくの出番だよ──ぼくはヒツジ飼いだからね」。そう言ったウルフはとても誇らしげで、手にした長い棒を高々と上げてみせた。「ぼくは朝になると柵の門をあけ、外に出たヒツジたちが草を食べるのを一日じゅう見張っている。夕方になったらまたヒツジたちを谷に戻して、柵の門に鍵をかける。もし戻りたくないヒツジがいれば、ぼくが追いかけていって、棒でたたいて言うことをきかせるんだよ」

500億羽のニワトリ

　野生のヒツジは、こうして家畜になった。野生動物は人類に支配されるのをきらうけれど、人類はいちばんよく言うことを聞くヒツジだけを飼って、さらによく言うことを聞くヒツジの子どもを作りだしたんだ。そして何世代かあとには、ウルフのような幼い少年でさえひとりでヒツジの群れ全体を思いどおりに動かせるようになっていた。

　それと同じようにして、人類はヤギ、ウシ、ブタ、ウマ、ロバ、ニワトリ、アヒル、そのほか何種類かの動物も支配するようになった。それは世界ではじめてのできごとだった。**それまで、ひとつの種類の動物が別の種類の動物を支配するのに成功したことなんて、一度もなかったからね。**サメは魚を支配していないし、ライオンは水牛の世話をしていないし、ワシはスズメをおりに入れて飼ってはいない。

　ヒツジやウマのような家畜を支配することによって、人類はたくさんの力を手に入れた。ヒツジと雌ウシとニワトリは、人類に肉と乳と卵と羊毛と皮革と羽毛を与え、雄ウシとロバとウマは、力仕事に役立つ筋力も与えてくれた。どこへ行くにも自分の足で歩かなければならなかった人たちは、ロバに乗ったり、ウマに馬車を引かせたりするようになった。それまで自分の力で土をたがやしていた人たちが、大きくて力のある雄ウシに犂をつなげると、その雄ウシはたった1日で、それまで20人の人たちが1週間かけてやっていた以上の仕事をやってのけた。

　これらの動物はとっても大切な存在だったから、人々はいっしょうけんめいに動物たちを保護し、繁殖させた。**こうして人類の助けを借りた家畜は、世界じゅうで最も多く見られる動物になった。**今、世界にいる雌ウシは15億頭をこえているのに、野生のシマウマは50万頭もいない。シマウマの3000倍もの数の雌ウシがいる！

　人類が飼育しているニワトリの数は、毎年、500億羽以上にのぼる。でも、世界じゅうのコウノトリをぜんぶあわせても100万羽に足りない。コウノトリの5万倍もの数のニワトリがいるんだね。じつのところ世界の多くの場所では、ニワトリの数のほうが、ほかの鳥をぜんぶあわせた数より多い。

かわいそうな動物の 金メダル

　もし、動物の成功を数の多さで決めるなら、農業革命はウシとヒツジとブタとニワトリに大きな成功をもたらした。**けれども、数がすべてとは言えないね。**もしも「これまでで最もかわいそうな動物」を決めるコンテストを開催するとしたら、金メダル、銀メダル、銅メダルを分け合うのはウシ、ブタ、ニワトリではないだろうか。

　野生のニワトリの自然な寿命は 10 年、野生のウシの場合は 20 年だ。ところが農場では、ニワトリもウシもまだ若いうちに殺されてしまう。ニワトリは平均でたった 1 か月か 2 か月しか生きないし、平均的な子ウシは 3 歳になる前に殺される。

　なぜかって？　人類は効率のよさを求めるからだ。子ウシは 2 歳になれば、おとなに近い大きさになる。それなら、そのあとに何年も餌をやりつづける理由があるだろうか？　そんなことをしても、農耕民はたくさんの食料と労力を無駄にするだけで、手に入る肉の量は増えない。もしきみが子ウシだったら、大きくなるのがとても心配なはずだよ。背の高さがお母さんと同じくらいになったとたん、人間に殺されて、食べられてしまうからね。

　農耕民は動物を、人間の役に立つあいだだけ生かしておく。だから、牛乳を出す雌ウシ、卵を産むメンドリ、犂を引く雄ウシは、それ以外のウシやニワトリよりも何年かは長生きさせてもらえる。でもそのために動物たちが払う代償は大きく、待ちうける過酷な毎日は、けっして長く生きていたくなるようなものではない。

　野生のウシたちは、雌も雄も、広々とした草地を自由に歩きまわることができる。でも家畜化された雄ウシが生きていたければ、朝から晩まで犂か荷車を引いて、歩

きつづけなければならない。ときには鼻に穴をあけられて、ロープを通される。農耕民がそのロープを強く引っぱって、思うように動かしたいからだ。雄ウシは角も切られ、少しでも抵抗の様子を見せれば、思いきりたたかれる。そして夜になれば狭い囲いのなかに閉じこめられて、逃げることはできない。

　家畜化された雄ウシは一生をそんなふうにすごし、何かを引いているか、囲いのなかに閉じこめられているかのどちらかだ。疲れきってもう犂を引けなくなったときや、何度も囲いから逃げだそうとしたときには、食肉処理場へと送られる。

　今の時代、畑をたがやすような仕事には、雄ウシなどの動物にかわって機械が使われることが多くなった。 それでもまだ雄ウシが仕事に使われている地域では、ウシたちはこんなふうに生きている。

乳がもつ悲しい側面

　乳にも暗い側面がある。きみはこれまでに、なぜ人類がウシやヒツジやヤギが出す乳を飲むのか、不思議に思ったことはないかな？　考えてみると、ちょっと不思議だ。ネコはネズミの乳をぜったいに飲まないし、オオカミはアンテロープの乳を飲まない。ハイイログマはヘラジカの乳でチーズを作らない。

　何百万年ものあいだ、人類もほかの動物が出す乳を飲んではいなかった。 人類の赤ちゃんはお母さんの乳を飲んで大きくなり、4歳か5歳になるまでには乳離れして、もう二度と乳を飲むことはなかった。もし採集をして暮らしていた私たちの大昔の祖先に、野生のヤギの乳を飲んでみてはどうかとすすめたりすれば、それまで耳にしたことのなかで、いちばんの奇妙でむかむかする話だと思われただろう。

　人類がほかの動物の乳をしぼるようになったのは、農業革命のあとのことなんだ。ヒツジ飼いのウルフは採集民のスクイレルに、これについても説明していたかもしれないね。

「何を……今、何をしてるの？」スクイレルは、ウルフ
がヒツジの乳をしぼっているところを目にしたとき、驚
いて聞いたにちがいない。

「ああ、ぼくの昼ごはんだ」と、ウルフは答えた。
「きみも少し飲んでみる？」

「えっ、ヒツジの乳？　げぇ〜っ！」スクイレ
ルは叫びながら、気もちが悪くて吐きそ
うになった。

「そうだね、その昔は、ぼくの村の人たち
も乳を飲まなかったさ」

「じゃあどうして、気が変わったのかな?!」

「それはぼくが生まれる前のことだ。でもおばあちゃんが話し
て聞かせてくれたよ。ある年に茶色い斑点がやってきて、コムギがすっかりやられて
しまったんだって。それで赤ちゃんに食べさせるおかゆが手に入らなくなってしまった。
そこで、ひとりの女の人が、ヒツジの乳を赤ちゃんにやればどうかって言いだした。
なぜって、赤ちゃんは乳を飲むものだからね」

「人間の赤ちゃんは人間の乳を飲むんだよ。ヒツジの乳じ
ゃない！」

「そうだね。でも、乳は乳だ。とにかく、村
の人たちはどうしても赤ちゃんを助けたかった
から、どんなことでも試してみようと思ったんだ
よ」

「それで、どうなったの？」

「ヒツジの乳をきらって、まったく飲まな
かった赤ちゃんは、おなかをすかせて死ん
でしまった。飲んでも、ひどくおなかを痛く
して、それで死んでしまった赤ちゃんもいた。
でも何人かの赤ちゃんはヒツジの乳
を消化できて、生きのびることがで
きたんだ。ぼくのお母さんは、そう

やって生きのびたラッキーな赤ちゃんのひとりだった。やがてお母さんがおとなになって、ぼくと妹が生まれたときには、ぼくたちにもよくヒツジの乳を飲ませてくれたよ。ぼくはヒツジの乳が大好きさ。それからお母さんは、**乳で作る新しいものを考えだした——そういうのをぼくたちはチーズやヨーグルトって呼ぶんだよ。**ヨーグルト大好き！」

　野生のヒツジがだんだんおとなしいヒツジに進化していったように、人類も少しずつ進化して、乳製品を好きになっていった。でも、みんなが好きになったわけじゃない。今でもまだ、羊乳や牛乳を飲むとひどくおなかを痛くする人がいる。もしきみが乳を飲むとおなかが痛くなるなら、たぶんきみの祖先は採集民のスクイレルで、ヒツジ飼いのウルフじゃなかったんだろうね。

　でも、ウルフのようなヒツジ飼いたちが自分たちのヒツジ、ウシ、ヤギから乳をしぼりはじめると、困ったことが起きた。動物たちが乳を出す理由は、ただひとつ——それは自分が産んだ子に与えて育てるためだ。だから羊乳を手に入れるためには、ヒツジ飼いはまず自分が飼っているヒツジに子どもを産ませる必要がある。でもそれから、生まれた赤ちゃんがお母さんヒツジの出す乳を、ぜんぶ飲んでしまわないようにしなければならない。

　方法はかんたんだった。子ヒツジが生まれたら、そのほとんどを殺して食べてしまう。それから人間がお母さんヒツジの乳をしぼる。そのうちに乳が出なくなったら、雄ヒツジを連れてきて、そのヒツジがまた子どもを産むようにしむける。

　この方法は今でもまだ、酪農業の基本になっている。現代の工場式農場の多くでは、お母さんヒツジ、ヤギ、ウシのお腹にはほとんどいつも赤ちゃんがいる状態だ。**そして子どもが生まれると、その子はすぐにお母さんから引き離され**、たいていは殺されて、肉がステーキやケバブになって売られることになる。残されたお母さんは乳を出して、ミルクパックをいっぱいにし、チーズやミルクセーキの材料を提供しつづける。こうしてずーっと赤ちゃんを産んでは乳を出してすごすお母さんは、５年もすると疲れ果ててしまうから、もう飼っている人たちにとっては生かしておく価値はなくなってくる。そこでお母さんも殺されて、その肉はハンバーガーやソーセージに使われる。

ずっと
友だち

　農業革命の結果、ほとんどの動物が苦しむことになったけれど、運のよい動物も一部にはいた。たしかに、肉と乳のために育てられるヒツジはつらい生涯を送らなければならなかった。一方で羊毛のために育てられたヒツジは、たいていは丘や谷を自由に歩きまわることを許されたうえ、オオカミに襲われないよう、人間に手厚く守られていたんだ。1年に1回ずつヒツジ飼いに毛を刈られるけれど、それだけで、あとはずっと自由でいられた。こうした幸運なヒツジたちにしてみれば、農業革命は奇跡だと思えたんじゃないだろうか。

　ほとんどのウマも一生せっせと働いて、もう働けなくなると、殺されて、食べられてしまった。**でも飼いならされたウマのなかには、まるで皇帝のような暮らしをしたウマも、わずかながらいた！**　もちろん皇帝のウマは別格で、たとえばローマ皇帝カリグラは、愛馬インキタトゥスをとりわけ大切にしたんだ。インキタトゥスは、自分だけのために建てられた大きな家で暮らし、朝、昼、夜と食事を作ってくれる召し使いまでいた。飼い葉桶は象牙でできていて、馬具には宝石がちりばめられ、特別あつらえの服までもっていた。カリグラはこのインキタトゥスを、執政官に任命する計画だという噂まであったほどだ。執政官というのは、ローマの政治でいちばん高い地位だった。ただし、カリグラはそれを実現する前に暗殺されてしまったけれどね。

　そしてもちろん、ネコとイヌを忘れてはいけない。**ネコは自分たちのほうから人間の仲間に加わったらしい。**人間が穀倉を建てると、そこには大小さまざまなネズミやスズメが集まってきた。するとそうしたネズミや鳥を食べようとネコがやってきたので、人々はとても喜んだ。だからネコをそのまま穀倉の近くにいさせて、友だちになったと言われている。

　イヌがやってきたのはもっと前の、人類がまだ採集民として暮らし、植物や動物を支配するなんて考えてもいなかったころのことだ。ほんとうのことを言うと、そのころはまだイヌはイヌではなく、オオカミだった。農業革命より何千年も前に、人間がマンモスみたいなとても大きい動物までつかまえられることに、どこかのオオカミが気づいたらしい。そのオオカミたちが人間のあとを追いかけはじめた。人間がうまくマンモス狩りに成功したときには、その肉をぜんぶとりきるのは難しくて、たくさん残っていることが多かったからね。だからオオカミたちはしんぼう強く待ちつづけ、人間がいなくなったとたん、ごちそうにありつけたというわけだ。**なかでもこわいもの知らずの何頭かのオオカミが、野営地に戻る人間のあとを追い、ついていくようになった。**そして人々がたき火を囲みながら、食べたり、冗談を言いあったり、幽霊の話をしたりしているあいだ、その様子を近くの森からじ

っとうかがっていた。たき火が消え、人々がどこか別の野営地へと移動していったあとで、残りものを探すためだ。

　オオカミたちが残りものを手に入れるためには、人間の行動をじっくり観察し、そのやり方を理解しておく必要があったんだね。人間がおなかをすかせたり、イライラしたりするのを感じとるのが大切で……そういうときは近づかないにかぎる！　くつろいでいるのがわかったら……近づくチャンスだ！　こうやって人間をよく理解できるようになった一部のオオカミは、ほかのオオカミより多くの食べものを手に入れることができた。時がたつにつれて、そのようなオオカミは少しずつイヌに近づいた……けれどもまだイヌにはなっていない。**言ってみれば、イヌになりかけたオオカミだ。**

　人間のほうは、野営地のあたりでこうしたイヌになりかけたオオカミの姿を見かけるようになっていた。けれども、オオカミが自分たちの立場をわきまえ、人を嚙んだりするような悪さをしないかぎり、気にしなかったらしい。ほんとうのところ、とても役に立つかもしれないと気づきはじめてもいたんだ。

　たとえば、真夜中、人々がぐっすり眠っているあいだに、大きいサーベルタイガーが食べものを探しに近づいてきたことがあったかもしれない。サーベルタイガーはほとんど音をたてないから——ネコを見るとわかるね——人間はだれも気づかない。みんないびきをかいて眠りつづけた。でもそのとき、**近くの森にいるイヌになりかけたオオカミの１頭が危険を感じて、吠えはじめた！**　その声で人々は目をさまし、石と燃える木を使ってサーベルタイガーを追い払うことができたはずだ——だから人々はイヌになりかけたオオカミたちを、ほんとうにありがたく思ったにちがいない。

　やがて、そのようなオオカミの一部が思いきって森を出ると、たき火の近くで人間にまじってすわるようになった。くわしいことはわかっていないものの、想像はつく。きみは、道ばたで迷子の子イヌを見つけ、家に連れて帰ってもいいかどうかお父さんやお母さんに聞いたことはないかな？　何万年も前にも、そんなことがあったのかもしれないよ。どこかの人類の集団が、イヌになりかけたオオカミの迷子に出会い、心のやさしい子どもが助けてあげたいと思ったんだろうね。

　「見て、見て、ほら、あんなにかわいい」と、その子どもは言った。「今、ここで助

けてやれば、すぐに大きく強くなって、きっと役に立つよ！」

　じっさいにとてもかわいくて、毛がフサフサしているうえ、悲しそうな大きい目でこっちを見ていたから、おとなたちも連れて帰ることを許した。人々はそのオオカミの子どもたちを野営地で飼いはじめ、残りものを食べさせてやった。するとまもなく、夜には人間に寄りそい、丸くなって眠るようになった。寒い夜でも、温かい毛皮のボールといっしょなら、ぐっすり眠れるね！

　オオカミの子どもたちが大きくなってくると、なかには落ち着きがなく危険なものもいて、そういうオオカミは人間のもとを離れ、森の野生の仲間のところに戻っていった。でも、**いちばん人なつこいオオカミの子どもたちは人間が大好きで、集団の野営地にとどまった**。そして危険が迫ると人間に知らせただけでなく、狩りにも加わって、ウサギをつかまえたりシカを追いかけたりするのを手伝った。

　何年かすると、イヌになりかけたオオカミのなかで最も人間になついたものに、つぎの世代の子どもが生まれ、その世代でもまた落ち着きのないものは去り、人なつこいものはとどまった。こうして世代を経るごとに、イヌになりかけたオオカミはどんどん人間と親しくなっていき、大好きな人の姿を見るとしっぽを振るまでになった。また、たき火のそばにすわって人間が食べる様子をじっと見つめ、鼻をすぐそばまで近づけては、おやつをねだった。こうして、**イヌになりかけたオオカミはイヌになった**。

　これほど遠い昔に人間の仲間になったという事実から、イヌがもつ、とても興味深い、ある特徴の理由がはっきりする。さて、イヌは世界でいちばん賢い動物というわけではないね——チンパンジーにゾウにイルカ、いやブタだって、イヌよりずっと賢い。それでも、人間が何を感じているか、人間が何を求めているかを理解する力となると、イヌがいちばんなんだ。ときにはイヌのほうが人間より、ほかの人の気もちをよくわかっていることさえある！　きみがとっても悲しいとき、学校の先生もきみのお姉さんも、その気もちをわかっていないかもしれない。でも、きみがイヌを飼っていたとすれば、そのイヌはきっときみの気もちをわかっているよ。

だれが農耕民になりたい？

　今ではとてもたくさんの人たちが、大好きだという理由だけでイヌを飼っている。食べるためでも、乳をしぼるためでも、犂を引かせるためでもない。でもそれは特別なことで、ほかのほとんどの動物の場合、人間はその動物の何かが必要だから飼ってきた。そこにあったのは愛情ではなく、支配しようとする気もちだった。

　動物と植物を支配する、つまり自分たちの思いどおりにすることによって、農耕民は以前よりずっと大きい力を手にした。でも、力をもっていることは幸福とはちがうし、平和でもない。きみは、だれかを自分の思いどおりにしようとしたことがあるかな？　たとえば、子イヌとか、弟とか。かんたんじゃないよね？　何かをするように命令しても、まったく反対のことをしようとする。1分でも目を離せば、どんないたずらをするかわからない！　それに、だれかを自分の思いどおりにしようとすれば、相手はとても悲しい思いをすることが多い──それに自分だって、最後には悲しい思いをすることが多いよ。それがまさに、農業革命で起きたことだった。

　農耕民はあらゆるものに──コムギにも水にもヒツジにも──自分たちの言うことをきかせようとした。そのためには、自分たちもいっしょうけんめいに働かなければならなかった。**でもやがて農耕民は、自分自身もだれかほかの人に言われたとおりのことをしているのに気づいていく**──農耕民はどんどん、聖職者と首長（村や町や都市の上に立って率いる人）に支配されていった。

　だからはじめは、朝から晩まで農耕民として働きたい人の数がほんのわずかだったのも無理はない。ワンダやスパロウやスクイレルのような採集民たちは、こうした新しい暮らし方をする変わった人たちをよーく観察してから……いちもくさんに森へと逃げ帰り、ブルーベリーを探したりウサギをつかまえたりしただろう。採集民は、新しい暮らし方を探るのに反対していたわけではない。ときには採集民も小さい畑をたがやして、いろいろな場所で何種類かの植物を栽培したり、何種類かの動物を飼ったりしたこともある。でも、用水路を掘ってはおかゆを食べるだけで一生をすごす道は、ぜったいに選ばなかった。

農業の勝利

　中東では、ほんのひとにぎりの集団が、コムギを栽培してヒツジを飼う農業だけで暮らしはじめた。一方、いくつかの別の集団が中国で、キビやアワといった雑穀を栽培してブタを飼う農業をはじめていた。世界じゅうのほかの地域——インド、アメリカ、ニューギニア——でも、人類の一部は少しずつ別の植物や動物——イネ（コメ）、トウモロコシ、ジャガイモ、サトウキビ、ニワトリ、ラマなど——を支配できるようになっていく。

　たとえそうであったとしても、**世界全体に目をやれば、まだほとんどの人々は狩猟と採集の暮らしのほうを好んでいた。**

　それでも、農業革命が歩みをとめることはなかった。農業が広がるのに、すべての人の力を借りる必要はなかったからだ。ある地域で暮らしていた採集民の集団が100あったとしたら、たぶんそのうち99の集団は農業をしないと言っただろう。それでも残りのたったひとつの集団が農業をすると言っただけで、もう十分だった。

　身を粉にして働くとともに植物と動物を支配したことで、農耕民が生み出す穀物、肉、乳はどんどん増えていき、それで養える子どもの数もどんどん増えていった。ひとつの森ぜんぶの広さがあれば、50人から成る採集民の集団ひとつが、十分な食べものを手に入れることができたはずだ。けれども農耕民がその森を焼き払ってコムギ畑か水田に変えると、同じ広さで10の村の、それぞれ100人の村人が食べものを手に入れることができた。

　農耕民はつぎからつぎへと森を焼き払い、つぎからつぎへと村を作り、採集民をどんどん追い払うようになった。ときには採集民が抵抗して、村をひとつか2つ、

めちゃくちゃにしたこともあっただろう。ただそのうちに、とにかく農耕民の数が多くなりすぎた。50人の採集民で、どうやって1000人の農耕民を追い払うことができたと思う？　だから採集民は、農耕民に加わるか、逃げるか、そのどちらかを選ぶしかなかったんだ。**そしてこれが世界じゅうのいたるところで起きて、採集民はほとんどいなくなってしまった。**

　こうして農耕民は世界の新しいリーダーになった。でもこまかい問題があって……農耕民たちは新しい暮らし方にそれほど満足しているわけではなかった。ただいっしょうけんめいに働いたのは、将来の計画があったからだ。用水路を掘り、コムギをまき、ヒツジを手なずけ、壁を作っていれば、いつかは理想的な暮らしができるようになるにちがいない。そうしたら、のんびりと、楽しくすごせばいい。けれども、その計画が実現することはなかった。なぜかって？　それは「意図せざる結果」と言われるもののせいだった。

第2章

しまった、
こんなはずじゃ
なかったのに

採集に出かけよう！

1日目 自然あふれる森で
ハイキングをし、木に登り、
キノコを探し、川岸に野営
地を設営して夜を
すごします。

2日目 カヌーで川を下り、魚
釣りの方法を習い、小さい湖の
ほとりに長い草で小屋を建てま
す。

3日目 丘に登り、加工しやす
い石を集め、矢じりの作り方を
習い、弓を射ます。

畑を耕そう！

1日目 村に行き、コムギ
の実をすりつぶして粉にする
作業を10時間つづけてから、
村で眠ります。

2日目 近くの畑に行き、地
面に小さい穴を掘る作業を10
時間つづけてから、村に戻っ
て夜をすごします。

3日目 畑に行き、用水路を
掘る作業を10時間つづけて
から、村に戻ります。

意図せざる結果

　きみの家族が、みんなで旅行に行く計画を立てているとしよう。見せてもらった旅行会社のパンフレットには、左のページにあるような2つのプランがのっている。採集民の集団に加わるプランと、大昔の農耕民の村に滞在するプランだ。

　きみなら、どっちの旅行を選ぶ？

　かんたんに選べそうだね？　それなのに、**私たちの祖先は森を自由に歩きまわるのをやめて**、畑で精を出して働きはじめた。なぜだろう？　その答えはとっても単純で、前もってパンフレットを見せてもらえなかっただけなんだ。大事なことを選ぶ前に、自分たちが何に参加するかを知らなかったというわけだね。

　何かをとても慎重に計画したのに、最後には思ってもみなかった結果になった、なんていう経験はないかな？　たとえば、きみがボーボーという名前のペットのウサギを飼っていて、とってもかわいがっているとしよう。でも、ボーボーはいつもケージのなかにひとりぼっちですわり、ニンジンをかじってばかりいるから、寂しそうに思えてしかたがない。そこで、ボーボーには友だちが必要だと親を説得することに決める。親にいっしょうけんめい頼み込み、いろんな約束をして、ようやく2匹目のウサギを飼うことを許してもらった──ただし自分でしっかり世話をするという条件つきだ。すごい、自分で立てた計画がうまくいった！

　2匹のウサギと遊んでいると、とっても楽しい。ウサギたちも仲がよさそうだ。でもしばらくすると、ボーボーの友だちがなんだか大きくなっている気がする。**そしてある朝起きてみると、ケージのなかにかわいらしい赤ちゃんウサギが5匹もいた。**はじめは、小さい毛のかたまりみたいな子ウサギがかわいくて、大好きでたまらなかった。ケージには

ぜんぶで7匹もウサギがいる！　すごいぞ！

　でも、すぐやっかいなことになる。赤ちゃんウサギはどんどん大きくなって、ケージがひとつでは足りなくなった。それにウサギの糞がいっぱいだから、しょっちゅうとってやらなくちゃならないし、1週間に1回はケージの大掃除も必要だ。もちろん、**ぜんぶのウサギに食べさせるだけの餌もいる**。親からは、自分の考えで飼っているのだから、自分で責任をもつようにと言われた。だから毎週2時間かけてケージを掃除し、必要な量がどんどん増えていくニンジンを買うお金も手に入れる──お母さんの車を洗い、近所の家のイヌを散歩に連れていき、通りを少し行ったところの夫婦の植物に水をやる。なんとかそれでつづいている。でも、こんなはずじゃなかった！　ただ、かわいそうなボーボーには仲間が必要だと思っただけなのに！それに、いつか子ウサギがもっと増えたら、いったいどうなっちゃうのかな？

　何かをすると、それによって別のことが起き、やがて思ってもみなかった状態になることを、**「意図せざる結果」**と言う。ウサギの計画はうまくいった――でも、こうした意図せざる結果のせいで、きみの暮らしは前よりもずっとストレスの多いものになったわけだ。

　農業革命では、私たちの祖先にこれと似たようなことが起きた。祖先たちにも大きな計画があったからね。それは「いっしょうけんめい働いて――よりよい暮らしをする」というものだった。でも、望んでいたとおりにはならなかった。祖先たちは、ほんとうにいっしょうけんめい働いたのに、よりよい暮らしを実現できたわけではなかったんだ。その代わりに、たくさんの意図せざる結果が生じていった。

骸骨が語った
物語

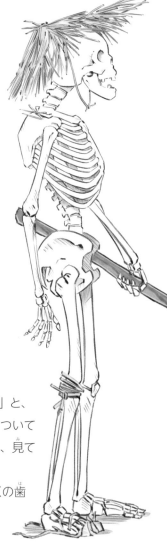

　考古学者が古代人の骸骨を見つけると、たいていは採集民と農耕民のちがいがよくわかる。ふつうは採集民の骸骨のほうが背が高く、残った歯が多く、飢えたり病気をしたりした跡が少ない。ふつうは農耕民の骸骨のほうが背が低く、残った歯が少なく、**飢えたり病気をしたりした跡が多い**。そしてたいていは、背骨が曲がり、膝の骨がすりへり、首の骨がいたんでいる。

　採集民の骸骨と農耕民の骸骨が、たとえばどこかの考古学研究室で出会ったとしたら、つぎのような会話が聞こえてくるかもしれない。

　「やあ」と、採集民の骸骨のギャザボーンが声をかける。「きみの背骨と膝の骨は、いったいどうしたんだい？　きみも、きみの農耕民の友だちも、ずいぶんひどいことになってるように見えるけれど」

　「ああ、**これは、いっしょうけんめいに働いたせいなんだ**」と、農耕民の骸骨のファームスカルが答える。「一日じゅう膝をついて草とりをしてごらんよ。それで自分の骨がどうなっているか、見てみるといい！」

　「それに、どうしてきみたち農耕民の骸骨は、そんなに多くの歯が欠けているのかな？」と、ギャザボーンはさらに質問をする。「それに、どうしてそんなに背が低いの？」

　「話せば長くなるけれど……」と、ファームスカルはため息

をついた。「要するに、ひどい食事をしていたせいなんだ。きみたち採集民は、採集と狩猟をして毎日をすごしていたわけだから、いろんな種類のものを食べていたよね。たとえば……」

「たとえば、木の実、カメ、キノコ、ウサギ──」

「もういいよ、そんなにたくさん並べなくたって！　いいかい、ぼくたち農耕民は**朝から晩まで、草とり、収穫、用水路掘り、壁作りに忙しかった**から、木の実をとったりウサギをつかまえたりする時間がなかったんだ。特別な日にはヒツジを殺して焼いて食べたけれど、たいていは、コムギのパン、コムギのおかゆ、コムギのおもゆを食べていた。あとは、豆かチーズをほんの少しだけ」

「へえ～、あきあきするね」

「そのとおりだ。でも、それだけじゃない。生きているあいだには気づかなかったけど、骸骨になってみたら、毎日コムギだけを食べるなんて健康に悪いとわかったよ。**人間が大きくて丈夫な体を作るのに必要なミネラルとビタミンがぜんぶ、コムギにあるわけじゃない。**しかも、コムギだけたくさんたべるのは歯にも悪かった。だからぼくには歯が3本しか残っていないんだよ！」

「わあ！」と、ギャザボーンは驚いた。「ぼくはずっと採集をつづけていて、ほんとうによかった。ほら見て、まだ歯がぜんぶ残ってるよ。ただ1本だけは、ピスタチオの木から落ちたときに折れちゃったけど。でも、いっしょうけんめい働いたきみたちには、いいことも少しはあったよね？　とにかくコムギが山ほどとれているだろうって、いつも思っていたよ」

「たしかに！」と、ファームスカルは誇らしげにうなずいた。

「それなのに、きみの骨を見ると、食べものが足りなかったのがわかる。どうしてなのかな？」

「そうだね」と、ファームスカルは声を落とした。「それは、『意図せざる結果』というもののせいだ。考古学者がそれについて話しているのを

耳にした」

「なんだかおそろしいことみたい！」

「そうなんだ。計画を立てたのに、思ってもみなかった方向に進んでしまうってことだよ」

「そうか……それで、ほんとうは何が起きたの？」

「ぼくも、よくわかるまでに少し時間がかかった。つまり、こういうことなんだ──ぼくたちは、コムギの世話をきちんとつづけていれば、いつでも食べるものが十分にあると思っていた。でもその考えはまちがっていた」

「どうして？　あんなにいっしょうけんめい働くなんて、ぼくにはできないけど、いい計画に思えるよ」

「そう思うだろう？　でも、いくつかのことを見落としていたんだ。世のなかは、じつに複雑だ！　ぼくたちは、いいやり方だと思っていたけれど、**わずかな種類の食べものだけに頼るのは危険**だって気づいていなかったんだよ。きみたち採集民は、いつでも何かしらの食べものを見つけることができたよね。いつもよく実をつける木が病気になって、ほとんど木の実がとれない年があったとしても、かわりにいつもよりたくさんカメをつかまえればよかった」

「そのとおり！　そしてカメがとれない年には魚を釣った。問題なしさ」

「でもぼくたちの場合はちがった」と、ファームスカルは説明をつづける。「ぼくたちは、わずかな種類の植物と動物だけに頼りきってしまった。**イナゴの大群、干ばつ、洪水、動物たちの病気**にみまわれると、ほかにはあまり食べるものがなかったんだ。ときには穀倉がからっぽになって、村人が飢え死にしたことさえあったよ。ぼくが子どものころ、そんなことが何回か起きた。ぼくは生き残ったものの、あまり背が伸びなかったから、きみより背が低い」

「そんなこと思いもよらなかった」と、ギャザボーンはため息をついた。「でも、ちょっと待ってよ。コムギがなくなったり、ヒツジが死んだりしたときには、森に出かけてベリーをつめばよかったのに。シカだってつかまえられる。世界には食べものがいっぱいあるよ！」

「そうだね。でも、ぼくたちは人数が多すぎた。きみの集団はぜんぶで何人だった？　ギャザボーン」

「ええと、ぼくの家族と、友だちの家族もいて、はっきりはわからないけど、たぶん

30人くらいだ」

「30人か！」ファームスカルは、ちょっとバカにするような口調で言った。「ずいぶん少しなんだね。ぼくたちの村には300人くらいいたよ。近くの村の人たちもあわせれば、ぜんぶで1000人以上だ！」

「えーっ……そうか。だめだ。森に行くだけじゃ足りないと思う。そんなにたくさんの人たちが食べるだけのベリーもシカも、森にはない……」

コムギ畑の子どもたち

　農耕民は、自分たちの成功のせいで身動きがとれなくなっていた。いっしょうけんめいに働いて、とれるコムギを増やしていくと、**村は大きくなりつづけ、それはとて**

もよいことのように思えた。でもその結果、畑や動物たちが災害にみまわれたとき、採集民の暮らしに戻るのはどんどん難しくなっていった。どうしてなのか不思議に思えるかもしれないね。もし健康によくないものを食べ、災害の影響も受けやすいなら、いったいなぜ農耕民の村はどんどん大きくなったんだろう。骸骨のギャザボーンも、ファームスカルが話したことを考えながら、それを不思議に思ったはずだ。

「ねえ」と、ギャザボーンはひとりごとのようにつぶやいた。「ぼくの集団には人が30人しかいなかった。でもきみの村は、そんなふうに歯が悪くなったり干ばつにあったりしながら、300人にもふくれあがったわけ？」

「それはまた別の、話せば長い物語なんだ」と、ファームスカルは答えた。

「ぼくはかまわないよ。なにしろ骸骨だからね。ほかに急いですることなんてなさそうだし」

「わかった。じゃあ、きみが生きているあいだに、子どもは何人いたの？」

「4人だよ。でもそのうちのひとりは、ヘビにかまれたせいで子どものころに命を落としたんだ」

「それはかわいそうなことをしたね。でも、どうして4人だけ？　もっとたくさん子どもがほしいとは思わなかったのかい？」

「もっとたくさんだって？　冗談を言っては困る。**いつも動きまわって暮らしていたんだから、たくさんの子どもを連れて歩くことなんかできなかったよ。**ぼくたち採集民は、少なくとも生まれた子が長い距離をしっかり歩けるようになるまで、つぎの子がほしいとは思わなかった」

「なるほど」と、ファームスカルは言った。

「ほかにも理由がある」と、ギャザボーンがつづける。「子どもたちは生まれてから3年か4年のあいだ、ほとんど母乳を飲んでいたんだ。母親が子どもに母乳をやっているあいだは、たいていつぎの子が生まれることはなかった。きみたち農耕民はどうだった？　きみの子どもは何人？」

「ぼくたちには子どもが8人いた」。ファームスカルはそう言いながら、大昔に心臓がドキドキしていた場所に指の骨をそっとのせた。

「8人も?!」ギャザボーンは口を大きくあけたので、あごの骨がもう少しで落ちそうになった。

「それがふつうだったよ。妹には子どもが10人いたしね。ぼくたちは村で暮らして

いたから、子どもを連れて歩く必要はなかった。それに赤ちゃんは早い時期に母乳を飲むのをやめて、コムギのおかゆと羊乳で育つようになった。**だから女の人たちは毎年ひとりずつか、2年にひとりずつ、子どもを産むことが多かったんだ**」

「でも、なぜそんなにたくさん子どもをほしいと思ったのかな?」と、ギャザボーンは不思議そうにたずねた。

「子どもがたくさんいるのは、いいことだと思っていたよ。子どもが多ければ多いほど、忙しい畑仕事や見張り番を手伝ってくれる人数が増えるからね。それに神官と村長も、子どもをたくさんもつように勧めていた。ぼくたちの村を、まわりの村より強くしたいと思っていたからだ」

「でも、そんなにたくさんの子どもが十分に食べるだけのものを、どこで手に入れたの?」

「豊作の年は問題なしだった。大量のコムギを収穫し、ヒツジたちも元気なら、子どもたちに村長と同じくらい食べていいよって言えるんだ」

「でも不作の年には?」ギャザボーンがたずねる声は小さくなった。

「不作の年のことは思いだしたくない」と、ファームスカルはため息をついた。「イナゴの大群に襲われた年、茶色い斑点が広がってしまった年、雲がやってこなかった年、ヒツジが伝染病で死んでしまった年には、みんなに十分に行きわたるだけのおかゆと乳がなかった。**だからたくさんの子どもたちが命を落としていった。**ぼくの8人の子どもたちのうち、生き残って自分の家族をもてたのは4人だけだったよ。さっきも言ったけれど、『意図せざる結果』だった」。そう話すファームスカルは、悲しそうに見えた。

お腹をこわしたとき

　たくさんの農耕民の子どもたちが命を落とした原因は、食べものの不足だけではなかった。当時の人々は知らなかったものの、母乳の代わりにおかゆを食べて羊乳を飲むのは、子どもたちの健康にはよくなかったんだ。

　さらに悪いことに、**不潔なうえに人が多すぎる村では伝染病が広がりやすかった。**一方の採集民の集団はほとんどが少人数で、しかも移動して暮らしていたから、だれかが病気になってもおおぜいにうつることはなかった。お腹をこわす病気になれば、ひと晩に10回も茂みのむこうまで走っていって、用を足さなければならなかっただろう。でもつぎの朝には、集団の人たちみんなが大急ぎで、どこかほかの場所に移動してしまうからね。

　ところが、農耕民は人の多い村や町で暮らし、そのころはまだトイレも下水道も整ってはいなかった。だから、もしだれかがお腹をこわす病気になれば、村のまんなかで用を足すことも多かった。それでもつぎの朝に、村じゅうの人たちがどこかほかの場所に移動することなんてできなかったから、すぐおおぜいにうつり、お腹をこわす人が増えてしまったんだよ。

　きみもお腹をこわして、病院に連れていってもらったことがあるかもしれないね。たぶん薬を飲んで、すぐによくなっただろう。でも大昔の農耕民にそんな薬はなかった。お腹をこわした人は、食べたものや水分を体内にとどめておくことができず、ときにはそれが原因で死んでしまうことさえあった。

　人々を苦しめたのは、お腹をこわす病気だけじゃなかった。**新しい病気がつぎからつぎへとあらわれては、**村人たちを襲ったんだ。そんな新しい病気は、そもそもどこからやってきたのだろうか？

　病気のもとは家畜だった。村にたくさん住んでいたのは人間だけではなくて、ヒツジ、ブタ、ニワトリも、ごみの山や糞の山のそばで、ぎゅうぎゅう詰めになって飼われていたからね。病原菌が動物から動物へと飛びうつり、動物から人間へと飛びうつった。そんな気配を感じていた人なんて、だれひとりとしていなかった──それはまた別の、農業の「意図せざる結果」だ。こうした初期の村と町は、病原菌にとっては天国だったんだ！

ウイルスは、たくさんのニワトリを病気にし、ヒツジをほとんどすべて死なせ、最後には人間に飛びうつって、子どもたちの半数の命を奪った。

　もし農耕民の家族に、大昔の採集民の集団で暮らした家族のようにほんの2、3人の子どもしかいなければ、その子どもたちは大きくなる前にみんな、飢えか病気で死んでしまったかもしれない。そこで両親は念のため、できるだけたくさんの子どもをもとうとした。そして子どもたちみんなに食べさせるために、畑をもっと広げ、コムギをもっとたくさん育てた。その畑の仕事を手伝ってもらうために、子どもをもっとたくさんほしいと思った。そしてその子どもたちにも、食べものが必要になった……どんな状況か、わかるだろう。

　こうして、女の人たちは8人か、ときには10人も子どもを産むようになった。おそらくその半数は、飢えや病気で幼いころに死んでしまったのだろうが、残りはおとなになり、またもっと子どもをもち、その子どもたちもまた子どもをもった。**飢えと病に襲われていたにもかかわらず、農耕民の数が増えつづけ**、畑や穀倉も、道具や神殿も、帽子や家も増えつづけていったのには、こんなわけがあったんだ。

ものが多くなるほど、争いも多くなる

きみの家族が新しいおもちゃや道具を家にもち帰ったとき、それをめぐってきょうだいげんかが起きたことはあるかな？「それは私のよ！」「ちがう、ぼくが先に見つけたんだ」「お母さん、こんどは私の順番だってあの子に言ってよ！」

たいていの場合、もっているものが多ければ多いほど、それをめぐる争いも多くなる。農業革命の前には、人々はおもちゃ、道具、そのほかのものをほとんどもっていなかったから、争いもほとんどなかった。考古学者は**古代の採集民のあいだに起きた戦争の痕跡**を見つけてはいるけれど、多くはない。ところが、穀物がいっぱい詰まった穀倉のように農業の形跡が見える場所では、考古学者は戦争の痕跡をたくさん見つけることが多い。たとえば、村を取り囲む壁や、頭に矢じりが埋まった骸骨などだ。

ギャザボーンとファームスカルは考古学者の研究室でぼんやりと待ちながら、このことについても話し合った。

「きみの頭に何かあるね、それは何だい？」と、ギャザボーンがたずねた。

「矢じりさ」と、ファームスカルが答える。

「でもどうやって、そんなものが頭に？　狩りをしていて事故にでもあったのかい？ぼくがその昔、仲間たちとマンモス狩りをしたときには──」

「狩りの事故だって？」ファームスカルは、あばら骨をふくらませながら大声を出した。「ぼくは戦争でけがをしたんだよ！」

「どんな戦争で？」ギャザボーンは不思議に思いながら聞いた。

「近くの集団がぼくたちの村を襲い、ぼくたちを殺して、ヒツジと畑をぜんぶとろうとしたんだ」

「あ～」と、ギャザボーンはうなずいた。「ぼくたちの近くにも何人か、いやな人たちがいたな。でもその人たちがけんかをふっかけてきたら、いつも、ただこっちがそこを離れるだけだった。戦って何の意味があるのかな？」

「言うだけならかんたんだよ」と、ファームスカルはにらみつけた。「何もとられたくないからね！　ぼくたちは家と、畑と、穀倉と、家畜をもっていて、戦って守るものはいっぱいあったんだ。だれかがぼくらの村を奪いとろうとしたら、どうぞって言って、ただ立ち去るわけにはいかないさ。畑と家畜をなくせば、みんなの食べるものがなくなる。だから村にとどまって、戦わなければならなかった」

　もちろん、農耕民がすべて乱暴だったわけではない。とても穏やかな人たちもいた。でも、乱暴な農耕民が穏やかな農耕民を襲えば、**乱暴なほうが勝つか、穏やかなほうが戦いをおぼえるか、どちらかだ**。そうやって、穏やかな人たちも乱暴になった。こうして時がたつにつれて、どこでも農耕民は乱暴になっていった。

　人々の体に起きた、こうした悪いことのすべては――すりへった膝も、欠けた歯も、伝染病も、繰り返される飢えも、矢じりのささった頭蓋骨も――農業革命の「意図せざる結果」だった。そんなことを望んだ者はひとりもいなかった。そんなことを計画した者も、ひとりもいなかった。人々はただ、そうなることを知らなかっただけなんだよ。

だが、農業革命は人々の体を思いがけない方法で変えただけではなかった。人々の心も変えていったんだ。
農耕をはじめると、人々はそれまでとは異なった方法で考え、それまでとは異なった方法で感じはじめた。人々の考え方と感じ方は、少しアリに似はじめていた。

アリとキリギリス

きみはアリとキリギリスの物語を聞いたことがあるかな？　こんな物語だ。

「暖かい日がつづく夏のあいだ、キリギリスは陽気にあちこちをとびまわり、おいしい葉っぱをたくさん食べて、ほとんどいつも歌とダンスを楽しんでばかりいた。ラララー、ララリー！

　一方のアリはそのあいだも忙しく働いて、家を作り、食べるものをせっせとたくわえていた。自分の体の10倍もの大きさがあるタネや穀物を運び、家のなかに山のように積みあげる毎日だ。アリがあんまりいっしょうけんめいに働くものだから、キリギリスはそれを見ているだけで疲れてしまったほどだ。

『少し落ち着いたらどうだい！』と、キリギリスはアリに呼びかけた。『少しはのんびりして、人生を楽しむほうがいいよ！』それでもアリは働くのをやめず、そんなに怠けていると後悔することになると、キリギリスに忠告した。

　やがて冬がやってきて、草木はこおりつき、葉っぱはみんな枯れてしまった。アリは居心地のよい家で腰をかけ、たくさんの食べものに囲まれていた。すっかりおなかをすかせたかわいそうなキリギリスは、アリの家のドアをたたき、何か食べるものを恵んでほしいと頼んだ。けれどもアリは、何ひとつわたさずに、こう言った。『夏のあいだ、私がいっしょうけんめいに働いているのを見て笑ったでしょう――さあ、最後に笑うのはだれかしらね』。そう言うと、アリはキリギリスの目の前でドアをバタンと閉めてしまった」

　これはどこかの農耕民が、自分の子どもたちに将来のことをアリのように考えてほしいと願って作った物語だ。

　もし、ごくふつうの採集民に聞いてみれば、こんな話はまったくくだらないと言うだろう。「いいかい？　毎年、春になれば森にはキリギリスがいっぱいいる。つまりどう見ても、キリギリスは冬もなんとかうまく切り抜けているということだ。そうだよね？　歌って、踊って、明日のことはあまり心配しないほうがいい。それで大丈夫さ。よーく見てみれば冬にだって、いつでもおいしいカタツムリが見つかるよ」

採集民はいつでも、今このとき起きていることに焦点をあわせていた。 もちろん、採集民だってときには計画を立てた。つぎの満月の夜にはみんなで集まって歌って踊ろうと、友だちと約束をしていたし、孫たちが見られるようにと、洞窟の壁にバイソンの絵も描いていた。サケをたくさんとって燻製にし、野生のヘーゼルナッツをたくさん集めて、あとで食べられるようにしまっておいた。

それでも、保存しておける木の実や魚の燻製の数には限りがあった。実がなる木や自然のなかで暮らす魚を、自分たちの思いどおりにすることはできなかったからだ。1万匹の魚を燻製にしたいと思っていたって、近くの川をのぼってきたサケが1000匹しかいないときもあっただろう。それについて採集民ができることはほとんどなかった。だから人々は、あまりたくさん計画を立てることはできなかった——採集民の人生は思いがけないことの連続だった。

「計画を立てすぎてはいけない」と、採集民は子どもたちによく言い聞かせていたのではないだろうか。「シカを狩ろうと計画して森に行けば、茂みに隠れているミツバチの巣を見逃すかもしれない。ミツバチの巣を見つけてハチミツをとる計画を立てれば、おいしい卵が3つも入った鳥の巣を見逃すかもしれない。そして昼ごはんはオムレツと決めて卵探しに夢中になれば、自分を昼ごはんにしようと近づいてくるクマを見逃すかもしれない。今このときに起きていることに注目し、あとで何が起きるかを、あまり心配しすぎないように」

こんなふうに予想しなかったことが起きはしまいか、採集民はとても不安だったと思うかもしれないけれど、じっさいは少しもあくせくしなかった。自分が何を不安に思うかを考えてみてほしい。今という瞬間に起きていることが原因になることは、めったにないよね。たいていは、未来に起きることを考えて不安になる。たとえば、明日の算数のテストとか、来週の歯医者の予約とか。それなら、今このとき起きていることだけに焦点をあわせれば、あまり不安を感じることはなくなるだろう。

それに対して、**農耕民はいつも来月のこと、そして来年のことを心配していた。**農耕民が採集民よりずっと大きい不安を抱いていたのは、選択の余地がなかったからだ——農耕民がいつでも未来のことを考えなければならなかったのは、その日に見つけたものを食べることがほとんどなかったからだ。

「パンを食べたいとき、ただ森に行くだけではパンの木は見つからないよ」と、農耕民は子どもたちに言った。「木を切り倒し、土をたがやし、タネをまき、草をむしり、

何か月か待ってから、穀物を収穫し、脱穀し、もみ殻をていねいに吹きとばし、実をひいて粉にし、粉をこねてパン生地を作り、最後にパン生地を焼いて、パンができあがる。だから、ずっと前から計画を立てなければいけないんだよ。アリのように！」

　これを成功させるために、農耕民は子どもたちに「満足の遅延」と呼ばれる、とても大切な訓練をほどこした。望みを満足させるというのは、自分がしたいことをするということだ。甘いものを見て、2秒後に口に入れる——そうすれば、おやつに対する望みを満足させられる。**そして満足の遅延というのは、待つということだ。**おやつを見て、今すぐ口に入れたいとどんなに思っても、しばらく手を触れずにそのままにしておくように。

　ほとんどの採集民は、満足の遅延が大切なことだなんて思っていなかった。草原を歩いていてイチジクの木を見つけたとき、木になった実をそのまま残して満足の遅延を決めても、ごほうびを手にすることはできなかったからだ。つぎの日に戻ったときには、イチジクの実はひとつもない。自分たちがいないあいだにコウモリとヒヒがすっかり食べてしまったからだ。遠い昔のそのころには、満足の遅延なんて、よほどの間抜けがすることだったんだね。

　ところが、農業によって状況ががらりと変わった。草原を歩きまわるかわりにコムギ畑を手に入れたとたん、満足の遅延が最も重要なことになったんだよ。不作の年があって、穀倉がほとんど空っぽになり、とてもおなかがすいてしまったとしよう。どうすればいいかな？　穀倉に残った穀物をすっかり食べてしまえば、来年にまくタネがなくなり、やがて自分も家族も飢えて死ぬことになる。一方、おなかがすいていても少しだけ来年の分としてタネを残しておけば、それをまくことができ、しんぼう強く働いて、来年はまた十分に食べるものが手に入る。

　だから農耕民と採集民のちがいは、多くの場合、暮らし方と食べていたもののちがいだけではなかった。**農耕民と採集民では、考え方も異なっていたということだ。**農耕民は、いつでも未来のことを気にかけ、現在は満足の遅延をする。これは今でもまだ、子どもたちが学校で教わるいちばん大切なことになっている。

　きみは学校で教わることが、ときにはまったく無駄だって感じることがあるかもしれないね。自分の暮らしにも、自分の友だちにも、自分の趣味にも関係がないことを教わったりするからだ。外に出て遊びたいのに、教室にすわって算数の問題を解かなくちゃならない。でもそれは、きみが農耕民のようになる訓練を受けているからなん

だ。いっしょうけんめいに勉強すること、そして満足を遅延することを教わっている。なんといっても、きみの将来を心配している人がいるからだよ。

　きみは、算数の問題を解かずに、今、外で遊んだりすれば、つぎのテストでよい点をとれないと心配されている。将来はよい大学にも入学できないだろう。そうすればよい仕事につけないから、十分な給料をもらえないだろう。そうすれば年をとったときに、よい病院に入院する余裕がなくなる。だから今はちゃんとすわって、算数の問題を解くんだ。80歳になったとき、よい病院に入院するために。

　こうしていっしょうけんめいに働いて満足の遅延をしてきたことが、人類にとってほんとうによいことだったのかどうかは、はっきりわからない。それでも、**農業革命によって繁栄したコムギやそのほかの植物にとっては、たしかによいことだった。**

農業のはじまり・10の不運

干ばつ

洪水

動物の病気

人間の病気

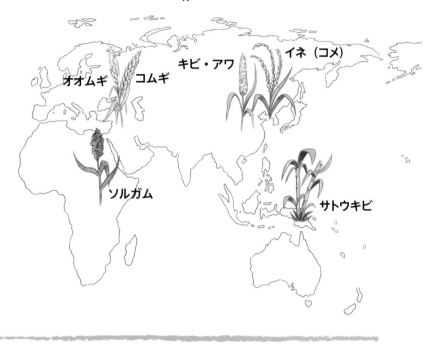

オオムギ　コムギ　キビ・アワ　イネ（コメ）

ソルガム　サトウキビ

世界を征服した植物

　農業革命が起きる前の地球を宇宙から見おろしたなら、丘や森で歩きまわる人類の小さい集団が目に入っただろう。そのほかに、コムギが集まって生えている場所とイネが集まって生えている場所もあちこちに見えたはずだ。

　そして農業革命が世界じゅうに広がったあとの地球を宇宙から見おろしたなら、地域全体をコムギとイネがおおいつくし、**何百万人もの人類が夜明けから夕暮れまで、**タネまき、水やり、それらの植物の手入れに忙しく働く姿も見えただろう。

　人類がはじめて農耕にとりかかったとき、自分たちはとても頭がよくて、コムギやイネなどの小さい愚かな植物ならかんたんに支配できるだろうと考えたんだ。でも、

ヒマワリ

トウモロコシ

カカオ

ジャガイモ

人類は自分たちが考えたほど頭がよくはなかったらしい。けっきょくのところ、植物のほうが人類を支配してしまったのだから。

なぜそうさせてしまったのか、不思議に思うかもしれないね。たぶん、そんなことが起きているのに人類が気づかなかったからなんだ。採集民から農耕民に変化するには、とっても長い時間がかかった。その切り替えは1年たっても、いや50年がすぎても、完了してはいなかった。5000年もの年月がかかったかもしれない。何が起きていたのかだれも気づかなかったのは、**それぞれの世代が、自分の親の世代とほとんど同じように暮らしてきたせい**だった。ちがうことが起きたのは、ほんのときおりで――たぶん100年がすぎたころか、1000年がすぎたころだっただろう――しかもだれかが何かの身近な問題を解決できそうな、小さい改良を思いついただけだった。たとえば、鍬を作る、用水路を掘る、壁を作る、といったものだ。

地面に穴を掘りはじめたことがきっかけで、やがて人々の歯に穴があき、町のまわりに壁ができ、心にたくさんの心配ごとが生まれるなんて、だれにも想像することなんてできなかったんだよ。

ハッピーエンド？

今日、農業革命のさまざまな苦労を耳にしても、たいていの人は**けっきょく事態はよいほうにむかった**と言うだろう。たしかに、大昔の農耕民は予期しないたくさんの問題に出くわし、山ほどの心配ごとをかかえていた。それでも私たちのほとんどはもう、大昔の農耕民のように暮らしてはいない。

たぶんきみは今、快適な家で暮らしているんじゃないかな。冷蔵庫には食べものがいっぱい詰まっていて、エアコンが部屋の温度をちょうどよく保ち、水洗式のきれいなトイレがあり、あらゆる種類の薬が並んだ引き出しと、たくさんのおもしろいゲームを楽しめるコンピューターもそろっている。人類が今でもまだ森でキノコを集め

てシカを狩る暮らしをしていたとしたら、そんなものは何ひとつ手に入っていなかったはずだ。だから、農耕の開始はいい考えだったと思うかもしれないね。

　でも、そう考えられるのは、きみが自分で毎日畑に出て働かなくてすむからなんだ。ほかの人たちがきみのために働いているか、たぶん機械が仕事をしているだろう。もしきみが農場で暮らしているとしても、骨の折れる仕事の多くはトラクターや自動式ポンプが代わりに引き受けているだろうし、近代的な薬やコンピューターのようなものも頼りにできる。だから**きみは大昔の村のごくふつうの農耕民のようではなく、むしろ村長のほうに近い。**

　でも、何千年も前に小さい村で暮らしていたウィーティーとウルフとファームスカルはどうだろう。3人は毎日の時間の多くを、鍬でたがやしたり用水路を掘ったりして……将来のことを心配しながらすごしていた。食べものが十分になかった年も多く、伝染病が広がりはじめるかもしれない、イナゴがくるかもしれない、ほかの村の人たちが自分の村を攻撃するかもしれないと、いつもおびえていたんだ。

　3人は、「まあ、自分たちの暮らしがどんなにたいへんでもかまわないよ。だって何千年かあとには、子どもたちが豊富な食べものに恵まれ、エアコン完備の大きな家に住み、一日じゅうスマートフォンで遊んでいるだろうからね」なんて、言ったりし

ただろうか。

　ウィーティー、ウルフ、ファームスカル、そして彼らの友だちは、もう少し、もう少しと土をたがやし、もう少し、もう少しと穴を掘ることによって、自分たちの暮らしがよくなることを願っていたんだ。ところが農業は大昔の問題の一部を解決しながらも、山ほどの意図せざる結果を、そして新しい問題を生み出してきた。そして農耕民たちは、病気を、イナゴと雨雲を、戦争を、ますます心配するようになっていった。

　さらに、村が成長して都市になり、都市がいくつも集まって大きい王国になるにつれて、**人々はまた、まったく新しく、とっても奇妙なものについても心配しはじめた。**それは、自然の森には存在しなかったのに都市では大きくふくれあがった、複雑なものだった。それは、最も勇敢な人々さえ恐怖で震えあがるような、おそろしいものだった。あまりにも複雑でこわいので、今もまだ、おとなは子どもたちにこれについてほとんど話をしない。

だい　　　しょう
第 **3** 章

おとなが
こわがるもの

幽霊より
悪いもの

　おとなが心配そうな顔をしているときに、子どもがその理由をたずねると、おとなはたいてい「大きくなったらわかるよ」って答える。きみはそう言われたことが、どれだけある？　どうやら世界には、子どもには理解できない、何かおそろしいものがあるらしい。

　それはちょっと奇妙だ。だって、おとなに見えるものならなんでも、子どもにだって見えるし、おとながさわれるものならなんでも、子どもだってさわれる——それなら、**おとながそんなにこわがっているのに子どもには見えない、子どもにはさわれないものって、いったい何だろうか。**

　その多くは、大昔の採集民の時代にはなかったものだ。採集民が何かをこわがり、その子どもが、「お母さん、どうしてそんなに心配そうな顔をしているの？」とたずねたとき、「大きくなったらわかるよ」って答えることはめったになかった。採集民が心配していたことのほとんどは、子どもにも説明できることだったからね——「あなたの妹が病気だから心配なの」「嵐がやってくるから心配しているよ」「近くでライオンがうろついているのを見かけたから心配なんだ」

　ところが**農業によって、暮らしはもっと複雑になった。**たくさんの人たちが村や町でいっしょに暮らしはじめると、人々は嵐やライオンからは守られるようになった一方で、新たな問題が生まれた——そしてそれは、複雑な問題だった！　たとえば、おとなを最もこわがらせるもののひとつに、「税」と呼ばれるものがある。

　子どもたちは幽霊や怪物をこわがる。**おとなは税をこわがる。**きみが両親を驚かせたいとき、お化けみたいな衣装を着て真夜中に「バァ！」と言いながらとびだしても、両親はきっと笑うだけだね。ところが、つぎのように言ったらどうだろう。「お母さん、お母さんがいないあいだに電話があったよ。

話をしたいんだって。たしか、税務署とか何とか言ってたと思う」。気をつけるほうがいいよ。きみのお母さんは、きっと、ほんとうにこわがるだろうから！

　税というのは、正確にはどんなもので、なぜそんなにこわいのかな。そしておとなはなぜ、以前はなかったこわがる気もちをもつようになったのかな。それは、暮らしをもっと複雑にする都市や王国といった、より大きい場所に住むことと関係がある。きみがじっさいにおとなにならなくても、こうした心配を理解することはできるよ。ただし、農業によってどのようにはじめての都市や王国が生まれたのかについて、きみが知っておかなければいけないことがいくつかある。

ルガルバンダとルガルキギンネドゥドゥ

　最初に農耕がはじまったとき、人々は小さい村に住んでいた。こっちの村では60人、あっちの村では100人が暮らし、とっても大きい村ならば、おそらく300人が暮らしていただろう。そして農耕民がもっとたくさんの森を焼き、もっと広い畑にタネをまき、もっとたくさんのヒツジを飼い、もっとたくさんの子どもたちを育てるにつれて、いくつかの村は数千人の人々が暮らす町へと成長していった。

　町も、時がたつにつれて少しずつ大きくなった。 中東、インド、中国、メキシコといった場所では、何万人もの人々が暮らす都市ができはじめる。こうした都市にはたいてい、がんじょうな壁と大きい神殿、それから王が暮らす美しい宮殿があった。そして、ひとつの都市だけでなく、まわりにある町や村の多くもあわせた王国全体を支配する王もあらわれた。

　では、このような王はいったいどこからやってきたのか、考えてみよう。それより昔の聖職者や首長がどんどん力をつけていって、やがて王になった場合もある。大昔の村や小さい町では、大切なことを決めなければならないときには住んでいる人みんなが集まって、だれでもそのことについて自分の考えを言うことができた。その村や町の聖職者と首長の言うことに、みんなで耳を傾けはしたけれど、いつもその意見に賛成するとはかぎらなかったんだよ。

　ところが新しく生まれた大きい都市では、住んでいる人の数がとても多くなっていたから、その全員が1か所に集まってひとりひとりの言うことを聞くのは、難しくなってしまった。**世界ではじめてできた都市のひとつに、ウルクがある。**ウルクは、今ではイラクの南部にあたるシュメールという地域の、ユーフラテス川のほとりに生まれた都市だった。ウルクには5万人くらいの人たちが住んでいたんだ……5万人もの人たちが集まって何かを決めるのは、とっても難しいよね。

　たとえば、シュメールにある別の都市ラガシュの軍隊が、ウルクのまわりにある畑や野原から穀物とヒツジを盗みにやってきたとしよう。ウルクの人たちはどうすればいいだろうか？　壁に囲まれた都市のなかで身の安全を守り、ラガシュの人たちが好きなだけ盗んでいくのを黙って見ているのか？　外に出てラガシュの人たちと戦うべきか？　それとも穀物とヒツジの一部を差し出して、ラガシュの人たちと仲よくするほうがいいのか？　ウルクで暮らす5万人の人たちが、ひとり5分ずつ自分の考えを説明すると、みんなの考えを聞くだけで25万分、ぜんぶで174日もかかってしまうことになる！　全員の意見を聞き終わって話し合いがはじまるころには、もうラガシュの人たちがウルクのコムギを1粒残らず、ウルクのヒツジを1頭残らず、もち去っているだろう。

そこで、こうした大切な決断が必要になったとき、ウルクの人たちは全員で話し合うのをやめることにした。ときには何人かの賢い人たちをリーダーに選ぶことがあった。そのリーダーたちが集まって小規模な会議をすれば、ものごとを素早く決めることができたからだ。でも、リーダーたちがけんかをして意見がまとまらないときには、戦争のときに軍隊を率いる首長のところに行ってどうすればいいかとたずね、言われたとおりにした。**その首長が、何度も何度も自分の思いどおりにものごとを決めていくうちに、やがて王になったのだろう。**

ウルクの王の名前は、たくさんわかっている。たとえば、ルガルバンダ、ルガルキサルシ、ルガルキギンネドゥドゥなどだ。その近くにあったシュメールの都市の王も同じような名前をもっていて、たとえば、ラガシュのルガルシャエングル、ウンマのルガルザゲシなどがある。どの王の名前の先頭にも「ルガル」がついているのはなぜなのかな？　シュメール語で、「ル」は男を意味し、「ガル」はとても大きいことを意味している。だから「ルガル」は「とても大きい男」で、「偉い人」のことなんだ。

ネフェリルカラー・カカイとツタンカーメン

ルガルの名をもつ王たちは、自分が世界でいちばん「偉い人」だと思っていた。ウンマのルガルザゲシは、世界じゅうを統治していると自慢までしていたようだ。でも、そんなことはありえないよね。世界のほとんどの人たちは、シュメールという名前もルガルがついた王たちの名前も、聞いたことさえなかったのだから。多くの人々はまだ、移動する採集民の集団や、ルガルなどいなくて全員がすべての決定に加わる小さい町で暮らしていた。

それでも、別のさまざまな種類の王国で暮らす人たちもいて、それぞれの王国にはそれぞれの「偉い人」がいた。シュメールから西に1000キロメートル以上離れた場所に、**とりわけ大きい王国があって、エジプトと呼ばれたその王国**は、ファラオと呼ばれた「偉い人」たちによって統治されていた。

そのころ、ファラオは世界で最も大きい力をもつ男だった。今の人々が知っている名前はそのうちのほんのわずかで、ほとんどの名前はすっかり忘れられている。きみは、ネフェルカソカル、シェプセスカフ、ネフェリルカラー・カカイというファラオの名

前を聞いたことがあるかな？　聞いたことがない？　きみが一度も名前を聞いたことがないことを知ったら、王たちはとてもがっかりするよ！　みんな有名になるために、いっしょうけんめいだったのだから。

　でも、このファラオの名前なら聞いたことがあるかもしれない──ツタンカーメンだ。ツタンカーメンは、わずか8歳のときファラオになった。古代エジプトでは、父親である王が死んだとき、**その息子は子どもであっても王になれたんだ。** ツタンカーメンは長生きすることができず、18歳のころには世を去ってしまった。現代の人々がその名前をおぼえているのは、大きい戦いに勝ったからでも、大きいピラミッドを建てたからでもない。山ほどの財宝といっしょに埋葬されていたツタンカーメンのミイラを、考古学者たちが苦労のすえに発見することができたからだった。

　ファラオが死ぬと、その体はしっかり乾燥の処理をほどこされて保存され、ミイラになった。そしてファラオのミイラは、黄金と宝石をふんだんに使ったぜいたくな墓に埋葬された。ファラオたちはみな、死んだあとも人々が自分をおぼえていてくれることを願って、それまででいちばん大きくていちばん堂々とした墓を作ろうとした。でも、そうした墓は驚くほど立派だったし、そこには驚くほどたくさんの宝石もあったから、どの墓の財宝もはるか昔に、すっかり盗まれてしまったんだ。

　けれども、ツタンカーメンは長生きしなかったうえ、あまり目立った仕事もしなかったので、世を去ったときに与えられた墓は小さく、ほかのファラオがだれも希望しないような遠い場所にあった。こうしてほとんど人目につかない場所にひっそり作られていたからこそ、ツタンカーメンの墓は墓荒らしに見つからずにすみ、現代の考古学者がその場所を探し当てるまで、ミイラと財宝のすべてが手つかずの状態で残されていたのだった。**きみもエジプトまで行けば、ツタンカーメンのミイラを見ることができるよ。** ツタンカーメンは死んでから何千年もたったあと、その名が世界じゅうに知られるようになった。一方、シェプセスカフやネフェリルカラー・カカイの名前をおぼえている人はいない。有名になるには、ときには思いがけない幸運が必要なんだね！

王国は何の 役に立つ？

　古代エジプトは、じつに大きい王国だった。ナイル川のほとりにあり、川の両岸には何十もの都市と何百もの村が作られた。そのエジプトには少なくとも100万人の人々が暮らしていたし、たくさんのウシ、ブタ、アヒル、ワニもいた。そしてそのすべてが、強大な力をもつファラオによって治められていた。

　人々はなぜ、エジプトのように大規模な王国を築いたのだろうか？　ひとりの偉い王さまが周囲のみんなに命令するような王国より、それぞれが別々の村や町で暮らしつづけるほうがよかったんじゃないのかな？　でもね、**こうした大きい王国はとても役に立ったんだよ。それは、別々にわかれた村や町ではできないことをできたからなんだ。**

　たとえば、エジプトとそれを統治するファラオがあらわれる前にあった、ナイル川のほとりのたくさんの村や町のことを考えてみよう。そうした村や町のすべてが、ナイル川を頼りにして暮らしていた。この川は、人々にもウシにもコムギ畑にも水をもたらしてくれたからだ。ところが、きまぐれな友であるこの川は、いともかんたんにおそろしい敵に変身することがあった。大量の雨が降ると、ナイル川は大規模な氾濫を

起こして畑と家々を押し流し、人も動物も植物も、すべての命を奪ってしまったんだ。でも反対に雨がわずかしか降らないと、ナイル川は水を十分にもたらしてくれず、コムギは乾燥して枯れ、ウシも人も食べるものがなくなってしまう。みんなはいつも心配そうに川を見守っていたけれど、それがどんなふるまいをするのか、予想することはできなかった。

　そこで人々は、洪水を防ぐ一方で干ばつの年にそなえて水をためておけるよう、堤防と運河と貯水池を作ろうと考えた。けれども、ほとんどの村や町はとても小さかったので、大きい堤防を作ったり巨大な貯水池を掘ったりするには、働く人の数が足りない。何人かの首長と聖職者は、すべての村と町が力をあわせてこの計画にとりかかればいいと提案したものの、それぞれの村や町の人々は、別の村や町の人々を心から信用することができなかった。みんな自分の村には手助けがほしいと思ったのに、どこか遠くの村を助けに行こうと思う人はほとんどいなかったんだ。だから工事はなかなか進まず、みんな洪水と干ばつに苦しみつづけた。

　でも、ファラオがすべての村と町をひとつにまとめて大きい王国を築くと、状況は一変した。**今ではみんながいっしょに働けるようになったからね。**ファラオが「巨大な壁を作れ」と命令すれば、エジプト全体から人々が集まってきて壁を作った。そしてファラオが「巨大な貯水池を作れ」と命令すれば、**みんなが手伝って貯水池を作った。**だからもう洪水がやってきても、畑はめちゃくちゃにならない。干ばつの年にだって、だれもが自分の畑にたっぷり水をやれる。

ワニの町へようこそ！

　センウセレトは、とりわけ大規模な計画をスタートさせ、ナイル川とファイユームをつなぐ幅の広い運河を掘るようエジプトの人々に命じたファラオだ。**そのころのファイユームは広い湿地で**、蚊とワニがいたるところに潜み、そのあたりに暮らす人はほとんどいなかった。なにしろ、ほとんど食べるものがなかったし、ワニの数が多すぎたからね。

　そこでエジプトの人々は土を掘りはじめた。エジプトじゅうから何万人もの人々がやってきて、暑い日差しをあびながら、いっしょうけんめい働いた。毎日、毎日、休まず土を掘りつづけた。ときには蚊に刺されたけれど、それでもまだ掘りつづけた。ときにはワニがだれかを食べてしまったけれど、残った者がまだ掘りつづけた。やらなければならない仕事がとても多かったので、ぜんぶ終わる前に、ファラオのセンウセレトは世を去った。

　それでも、その息子のアメンエムハトが新しいファラオになり、掘りつづけるようにと人々に命じた。だからみんなは運河を掘りつづけ、掘りだした土をぜんぶ使って、たくさんの堤防とダムも作った。

　ついにその仕事が終わり、ナイル川の水がファイユームに流れこむと、**その湿地は巨大な人工の湖になった**。この運河のおかげで、ナイル川が氾濫の危険にみまわれたらその水を人工湖に流し、村を洪水から守ることができた。日照りがつづけば人工湖の水をナイル川に戻し、農民たちは畑に水をやることができた。

　それまで砂漠のなかの湿地にすぎなかったファイユームは、**肥沃な土に恵まれた畑と村に姿を変えた**。そしてそこには新しい都市もできた。

はじめは「土をたくさん掘った場所」と呼ばれていたその都市には、やがてもっと短く、「ワニの町」という意味の「クロコディロポリス」の名がつけられた。

　ところで、湿地で暮らしていたワニはどうなったのかな？　なかには命を落としたワニもいたし、新しい湿地を見つけて移り住んだワニもいた。でも、新しくできた都市に引っ越したワニもいたんだ。クロコディロポリスのまんなかに、エジプトの人たちが**新しい神のための神殿**を建てたからね。その神はワニの神セベクで、神殿のなかではペットのワニが暮らし、人々はそのワニを見て、ワニの神セベクの姿を目にしていると思っていた。

　神殿の聖職者である神官はそのワニに毎日、ウシ、ブタ、アヒルを餌として与えた。ある古代史研究者によれば、ワニの前足には宝石をちりばめたブレスレットを、ワニの耳には黄金のイヤリングを飾っていたらしい……でもたぶんワニにしてみれば、アクセサリーよりも肉のほうがありがたかっただろうね。きみはワニにイヤリングをつけようとしたことなんてある？　かんたんにできることじゃないんだ……自分の家で試したりしちゃだめだよ！

歴史に残ることをするのはだれ？

　堤防と運河を建設することができたのは、エジプトの人たちが王国に住んでいたからだ。王国は何かを作るために、何万人もの働き手を集めることができた。大きい王国は、また別の重要な役割を果たすこともできた。人々はたくさんの食べものを大きい穀倉にしまっておき、必要があれば、その食べものをあちこちに運ぶことができたんだ。

　もしエジプトの北のほうでコムギ畑が伝染病にやられてしまった年があれば、クロコディロポリスからそこまで穀物を送ることができた。別の年に、クロコディロポリスの近くのコムギがイナゴの大群にすっかり食べられてしまったら、エジプト南部からそこに食べものを送ることができた。国じゅうが飢饉にみまわれたときには、ファラオの巨大な穀倉にたくわえられた食べもので、少なくとも1年か2年、みんなが十分に食べることができた。

　そして最後に、**大きい王国は小さい村や町より、泥棒や侵略者にもうまく立ちむ**

かうことができた。それぞれの村が襲われれば、村を守る人はわずか数十人しかいない。近くにあるすべての村が手助けしてくれたとしても、集まるのはせいぜい1000人くらいの、鍬と鎌を武器にした農民だ。

　一方、大きい王国の一部になっている村が襲われたときには、王国全体で助けてくれた。王国には戦いが専門の軍隊があったから、やってくるのは鍬を手にした1000人の農民ではなく、剣と槍で武装した2万人もの兵士だった。

　このように、**大きい王国で暮らすとよいことがいろいろあった**。それでもまだ暮らしはつらく、たぶん農業革命が起きる前のワンダ、スパロウ、スクイレルのような採集民の暮らしより、はるかにたいへんだっただろう。

　でも古代エジプト人はそのことを知らなかった——もう採集民の暮らし方をおぼえていなかったからだ。農業革命さえ、その記憶にはなかった。ほとんどの人たちは、人類はずっと農耕民として暮らしてきたと思っていたんだね。それでも、古代エジプト人は農耕民の暮らしがつらいものだと身にしみてわかっていた。

　古代エジプトは、当時では最も力のある王国だったものの、その力のすべてはたいていの場合、単なる農民たちによる長時間の重労働を意味していた。ピラミッドのような巨大な建造物やツタンカーメン王のような有名な人物について書いた歴史の本を読むときには、ほとんどの人がファラオではなかったことを思い出してほしい。

ほとんどの人はごくふつうの農民で、毎日毎日けんめいに働いていたんだ。その農民が作り出した食料を、王、兵士、聖職者（そしてペットのワニ）が食べていた。だから、歴史書の大半が王と兵士と聖職者ばかりを取り上げ、彼らすべての生きる糧を生み出していた重要な人々についてほとんど触れていないのは、ちょっと不公平だね。

所有する権利と、
納める義務

　古代エジプトのような巨大な王国には、たくさんの有利な点があったとはいえ、**巨大な王国を支配するのはひどくやっかいな問題だった**。ファラオは山ほどの人々と山ほどのものごとを、うまく動かしていかなければならなかったからだ。そしてそのためには、2つのとても大切な質問に答える必要があった。「だれが何を所有しているか」そして「だれが何を納める義務を負っているか」だ。

　何かを所有すると、それは自分のものになる。**人はさまざまなものを所有することができる**──家、車、服、パソコン。だれかが所有しているものは、その人の「財産」と呼ばれる。もしきみがチョコレートを所有していれば、そのチョコレートはきみの財産だ。きみがいいと言わなければ、だれもそれを食べてはいけない。もしだれ

かが何も聞かないでそれをもっていけば、それは「盗む」ことになる。古代エジプトにはたくさんの財産があった。コムギ畑、ナツメヤシの果樹園、ヒツジ、ロバ、荷車、小舟、家、宮殿。そして王国には100万人もの人がいた。だれが何を所有しているのか、どうすればわかったのだろうか。

　たとえば、ナツメヤシの果樹園を所有する農民がいたとしよう。もし別の人がその果樹園に入って、ナツメヤシの実を食べはじめたら？　そのナツメヤシがその人の財産ではないこと、その人は泥棒だということが、どうすればわかっただろうか。それが、「だれが何を所有しているか」という質問だ。

　2つめは、「だれが何を納める義務を負っているか」という質問になる。何かを納めなければならないというのは、自分の財産の一部をだれかほかの人にわたさなければならないということだ。きみがチョコレートをもっているときに、お母さんから、少し妹にあげなさいと言われるのに似ている。王国での暮らしがうまくつづいていくよう、ファラオは人々に、それぞれの財産の多くの部分を自分に差し出すよう命じた。人々は、いっしょうけんめい育てたナツメヤシを少し、いっしょうけんめい大きくしたヒツジを少し、そしてとりわけ、いっしょうけんめい収穫した穀物を山ほど、ファラオに差し出さなければならなかった。ファラオはそうして集まった大量の穀物を自分の巨大な穀倉にしまっておき、その一部を自分のもとで働く人たちと兵士たちに食べさせた——働く人も兵士も、食べるものがなければ何もできないからね。

　そんなわけで、王国で暮らす人はみんな、毎年毎年、自分たちの穀物の多くをファラオに差し出さなければならなかったんだ。これを「税」と呼ぶ——そして税は、今もまだ、おとなたちを悩ませている。

マンモス税

　きみは、人が自分のナツメヤシ、コムギ畑、ヒツジの群れを所有できるなんて、あたりまえのことだと思うかもしれない。でもこれは、ほんとうは、とっても不思議なことなんだ。あるものが別のものを所有するって、どういうこと？　**ミツバチは花を所有しないし、ノミはイヌを所有しないし、チーターはシマウマを所有しない。**

　大昔の採集民もほとんど何も所有せず、所有していたとしてもほかの人たちと共有していることが多かった。ある採集民の集団が、この森は自分たちの森だと主張することはあったかもしれないけれど、たったひとりの人が森全体を所有でき、ほかのだれもそこに入らせないなんていう考えは、まったくばかげて聞こえたはずだ。

　さもなければ、どこかの威張ったハンターがマンモスの群れを指さし、大声でこう言ったとしよう。「あそこにいるマンモスが見えるか？　あれはぜんぶおれのものだ！　おまえたちに何頭かつかまえさせてやってもいいが、そうしたければマンモス税を納めろ」。こんなのはまったくばかげていた。だって、マンモスはどこでも自分たちの行きたいところに行けて、人間の指図なんか受けなかったのだから。

　でも、**農耕が世界じゅうに広がっていくにつれ、人々はコムギやヒツジなどのほかのものを支配しはじめたので**、そういうものを「財産」と考えやすくなった。村や町がはじめてできたころには、人々はたいていみんなでいっしょに畑仕事をしていたから、みんなで作ったものはなんでも、みんなのものだった。でもときどき、だれかが自分たちだけで働くことを選び——自分たちだけで食べた。

　あるとき、ある家族がいっしょうけんめいに働いて畑からきれいに石を取りのぞき、そこにコムギをまき、ていねいに水をやってから、その畑は自分たちだけの財産だと主張した。その家族の許しを得ないかぎり、だれもその畑から穀物をとれなくなった。畑を10枚も所有する家族が出てきて——そういう家族は裕福だった。ひとつだけの狭い畑を所有する家族や、畑をまったくもたない家族もあって——そういう家族は貧しかった。

貧しさへとつづくたくさんの道筋

　こうした不平等には、山ほどの異なる原因があっただろう。いくつかの貧しい家族が出会えば、なぜ自分たちが貧しくてほかの人たちは裕福なのか、それぞれ異なる身のうえ話をしたかもしれない。

　「近くの人たちは、みんなすごく裕福なんだよ」と、ひとりの農民がうらやましそうに言った。「みんなは畑を 10 枚ももっている。私の畑はたったひとつなのに！」

　「どうしてそうなったんだい？」と、ほかの人たちがたずねた。

　「じつは、近くの人たちは何年も何年もアリのようにコツコツ働きつづけ、いっしょうけんめいに木や石をどかして、その広さの畑を作りあげたんだ。でも私はキリギリスみたいなものさ。のんきにやっているからね。いつか、自分の畑をたがやしているうちに──ジャーン！──黄金の宝物を掘りあてるつもりさ。ざんねんながら、まだ見つかっていないけどね。人生なんて不公平なものだよ。きみはどうだい？」

　「ぼくもその昔、コムギ畑を 10 枚もっていた」と 2 番目の農民が誇らしげに言った。「でもあるとき、茶色い斑点がぼくの収穫をすっかり台無しにしたんだよ。近くに、やっぱり 10 枚の畑をもっている人がいたけれど、その人のほうが頭がよかった。コムギをまくのを 5 枚だけにして、残りの畑にはオオムギをまいていたからね。茶色い斑点がやってきたとき、その人のコムギはすっかりだめになっても、オオムギのほうは無事だった！」

　「それで、その人はきみを助けてくれたのかい？」

　「もちろん助けてほしいと頼んだよ──なにしろ、ぼくの家族には食べるものがまったくなかったからね。でもその人は、ひどくよくばりで、もしぼくの畑をぜーんぶくれるのなら、オオムギの粉を少しだけわけてやってもいいって言った。ぼくがそんなに厳しいことを言わないでほしいと必死で頼み込んだら、ようやく、『わかった、わかった、もう泣くのはやめて。もらうのは畑 9 枚だけでいい。あとの 1 枚は自分で使って』と言ったよ。ほかにどうしようもなかったさ。ぼくたちは飢え死にしそうだったんだから。今では、その人の畑は 19 枚で、ぼくの畑は 1 枚だけだ」

「きみたちふたりは、まだ運がいいほうだよ！」と、3人目の農民は悲しそうに言った。「ずーっと前、私の村ではどの家族もみんな同じように10枚ずつ畑をもっていた。それに、みんなよく働き、てぎわがよくて──物惜しみもしなかった！　いつでも、とっても念入りに異なる畑には異なる作物のタネをまいて、もしどこかの家族が苦労していれば、ほかのみんなで助けていたんだ。ところがあるとき、山のむこうの敵がこっちの谷に襲いかかり、私たちの村を奪いとってしまった。畑をすっかり自分たちのものにしただけじゃなく、家まで奪った。私たちに残されたものは何ひとつなかった！」

「それなら、きみたちはどうやって生きのびたんだい？」と、あとのふたりが驚いてたずねた。

「侵略者たちは、もし私たちが、そのひどいやつらの新しい畑をやつらのために手入れするなら、私たちはそのまま村にとどまって、やつらのものになった家に住んでもいいと言ったんだよ」

新しい種類の財産

このようにさまざまな道筋を経て、貧しい人々と裕福な人々が生まれていった。古代エジプトでは、最も裕福な人物はファラオだった。ファラオはほかのだれよりも多くの畑をもちながら、そこで働く必要はまったくなかった。ただ、ほかの人々に何をするか命令するだけでよかったからだ。**ほかのすべての人々は、自分の畑で自分たちが育てたものの一部を税としてファラオに納め**、その代わりにファラオは人々を洪水、飢饉、敵から守ると約束した。

もし農民が税を納めたくないと言ったらどうかな？　そんなときには、ファラオはとても腹を立て、その農民が暮らす村に兵士を送ることになる。前とはちがい、兵士はみんなを助けにくるわけではないよ。手にした槍で、税を納めたくないと言った農民の家のドアをたたき、大声でこう叫ぶんだ。「まだ税を納めていないじゃないか？　今すぐ納めろ、さもなければ……」

かわいそうな農民が納めるべき税を納められないときには、兵士たちがその農民のウシとアヒルと、見つけた穀物のすべてをもち去るだろう。それでも足りなければ、そしてもし農民が納める義務を負った穀物の量がとても多いなら、兵士はその農民を

家族もろとも連れさって、奴隷にすることさえできた。

　奴隷というのは、だれかが自分の財産だと主張した人間のことだ。 奴隷制は、人類がこれまでに考えだしたなかで、最悪なもののひとつに数えられる。人間をだれかの財産にできるという考えは衝撃的だけれど、古代エジプトなどの大昔の農民たちはその考えに慣れていた。当時の人たちが見ていた世界では、人間が植物や動物を所有できるのと同じように、ほかの人間を所有することもできるのだった。

　エジプトをはじめとした古代の王国では、数多くの人間が奴隷になっていた。そのなかには戦争でとらえられた外国人もいれば、税を納めることができなかった農民もいたし、貧しい両親のもとに生まれた子どももいた。両親が自分たちの子ども全員に食べさせるだけの食料をもっていなければ、**しかたなしにひとりを選んで、奴隷として売るしか方法はなかった。** そうすればほかの子どもたちのために食べものを買うことができたからだ。

　奴隷たちの暮らしは厳しいものだった。もしきみが古代の奴隷に出会うことがあれば、おそろしい話が聞こえてくるにちがいない。「私が何をしたいかなんて、だれも気にしていません」と、どこかの奴隷が説明をはじめるだろう。「ご主人さまはときどき私に、一日じゅう休むことも食べることもせずに働きつづけるよう命令します。私はそれに従わなければなりません。どこかに行きたければ、ご主人さまの許しをもらわなければなりません。私が着る服も、私の髪の切り方も、ぜんぶご主人さまが決めます。もし私がご主人さまの命令に従わなければ、ムチで打たれます」

　「それがいちばん悪いことなら、自分をラッキーだと思わなくちゃいけないな」と、別の奴隷も口をはさむだろう。「私のご主人さまは、私が命令されたことをぜんぶしても、ただ楽しみのために私をムチで打つんだ。前に奴隷を殺したこともあると、ほかの奴隷たちから聞いたよ。私のご主人さまは地区の長官だから、そんな高い地位にいる人を、奴隷を殺したくらいのことではだれも罰しようとはしないのさ」

　「私がほんとうに悲しいのは、私たちには未来がないことなんだ」と、とても若い奴隷がつけ加える。「私はまだ12歳だけど、いつか自由になれるなんて思っていない。せめて結婚くらいはしたいし、いつかは子どももほしい。でも、ご主人さまが許してくれなければ、それさえできないよ」

「もし許してもらえて子どもが生まれたとしても、その子どもたちもまた奴隷だ」と、白髪を長く伸ばした奴隷の女の人が警告する。「私の友だちに子どもが生まれたとき、ご主人さまが何をしたかは知っているね？　その子が10歳になると、遠くの町の商人に売ってしまった。それっきり私の友だちは子どもに会えていない。もう3年になるけれど、友だちはまだ毎晩、泣いている」

　奴隷になりたい人なんて、ひとりもいなかった。だから税を納めなかった人は——たぶん畑のコムギがすっかりイナゴに食べられてしまったからだろう——いつファラオの兵士がやってくるか、いつ奴隷として連れていかれるかと、おびえながら暮らしていた。夜、眠るときにも、サソリやワニの夢を見るのではなく、税の夢を見ていた。

でもファラオは、ひとりひとりが税を納めたかどうかなんて、どうやっておぼえていたんだろう。なにしろ古代エジプトには100万人もの人たちが暮らしていたんだ。もし、そのうちのひとりが税を納めなかったとして、ファラオはそれがだれだかおぼえていることなどできたのだろうか？　もし兵士が村にやってきて、その人のウシや穀物や子どもを取り上げるとしても、どれを取り上げればいいのか、どうすればわかったのだろうか？　兵士たちは、だれが何を所有し、だれが何を納める義務を負っているのか、どうやってわかったのだろう？

脳には
できないこと

　もう何百万年ものあいだ、人は何かをおぼえておかなければならないとき、情報を脳のなかにしまっておいた。ところが大きい王国を築こうとすると、脳ではうまく対処できないことがわかってきた。**脳はすばらしいけれど、限界があるからだ。**

　第一に、脳が記憶できる量には限界があって、人々がとても大きい王国を築こうとしたとき、その限界に達してしまった。ただ情報の量が多すぎただけだ。きみは自分のものはどれで、弟のものはどれかくらいは、かんたんにおぼえておけるね。学校の教室にぜんぶで 30 人の子どもがいても、だれがどの席にすわるかおぼえておける。でも 100 万のコムギ畑がある王国では、だれがどの畑をもっていて、だれがその年に税を納めたか、おぼえていられる者はだれもいなかった。そして、その情報なしでは王国をうまくつづけることはできなかった。

　第二に、だれかが死んでしまうと、その脳もいっしょに死んでしまう。だから、もしすべてのコムギ畑とすべての税をおぼえていた天才がいたとしても、その天才が死んだときにはどうなるかな？

　第三に、そしてこれがいちばん重要な点なんだけれど、何百万年ものあいだ、人の脳はある種類の情報だけをしまっておくよう適応してきた。私たちの祖先の採集民は、生き残りのために、動物と植物に関するさまざまなこまかい点をおぼえておかなければならなかったん

だ。秋には森で木の実を集められること、冬には山の洞窟に行かないほうがいいこと——そこにはおそろしい大きなクマが住んでいる——、そして春には川の近くの茂みでハチの巣が見つかることを、おぼえておく必要があった。

　採集民はそのほかに、自分の集団にいる何十人かの人たちについて、とってもたくさんのことをおぼえておく必要もあった。木登りが得意なのはだれか、折れた骨をなおすのが得意なのはだれか、といったことだ。木から落ちてしまったときには、木登りが得意な人より、折れた骨をなおすのが得意な人に助けを求めるほうがいいからね。それから、だれがやさしくて、だれが気難しいかも、ちゃんとおぼえておかなくちゃいけない。頼みごとをするなら、やさしい人にかぎるよ！

　こうして人間の脳は何百万年ものあいだ、動物、植物、まわりにいる人間についての情報をしまっておくように進化した。だからきみも、動物にまつわるおもしろい話はすぐにおぼえられるし、クラスでほんとうに仲よしの友だち……それから、そうではない友だち……が、よくわかっているんだ。

　でも、王国を築きはじめた人々は、まったく新しい種類の情報をおぼえなければならなくなった……それは数字だ。きみは数字が好きかな？　算数が好きかな？　なかには算数が大好きな子がいて、数字の美しさと秩序正しさにうっとりしている。でも、きらいな子もたくさんいる。そういう子に動物の物語を読んで聞かせると、とっても楽しそうだ。友だちをいじめっ子から助けた子の話にも目をかがやかせる。でも、おもしろそうな本を探しているときに、算数の本を選ぶことはないだろう。

　それは子どもにかぎった話ではない。数字があまり好きではないおとなも、たくさんいるからね。**人間は何百万年ものあいだ、数字を使わずにすごしてきた。**たとえば採集民は、草原のイチジクの木にイチジクの実が何個ついているか、いちいちおぼえていなくてもよかった。だから人間の脳は、数字を記憶するように適応してこなかったんだ。

ところが人々が王国を築きはじめると、急に大量の数字をおぼえなければならなくなった。それぞれの人がどれだけ広い土地を所有しているか。その人たちは何頭のウシを飼っているか。アヒルの数は？　納めるべき税は？　こうした数が、数えきれないほど並ぶ。それをぜんぶおぼえておける人なんて、どこにいる？

算数の問題

じっさいの話はもっと複雑だ。税を集めたいとき、**全員がまったく同じだけの税を納めるのでは不公平になる**。ひとりの人は裕福で 10 枚のコムギ畑をもち、もうひとりの人は貧しく、たった 1 枚の畑しかもっていないとき、どちらも同じだけの税を納めなくてはいけないのだろうか？

　現在では多くの人々が——過去も同じように——裕福な人が納める税を多くするべきだと考える。でも、どれだけ多く？　それに、だれが裕福なのか、どうすればわかる？　小さい村なら、だれが裕福でだれが貧しいか、みんなが知っているだろう。でも大きい王国ではなかなかわからない。どこか遠くの村で、ふたりの人物が暮らしていたと考えてみよう。名前はアブとギダだ。王はどちらにも一度も会ったことがないし、その村に行ったこともない。**それならアブとギダがどれだけの税を納めるべきか、王はどうやって決めることができたのだろうか。**

　王はこう言ったかもしれない。「アブがもっているコムギ畑

は1枚だけだ。アブは貧しいから、納める穀物は10袋でいい。ギダは10枚のコムギ畑をもっている。ギダは裕福だから、100袋を納めなければならない」

　でもギダはこう不平を言う。「ええ、私には10枚のコムギ畑があります。でもみんな狭い畑なんです。アブがもっている畑は1枚ですが、とても広い畑です。じっさいには、私の10枚のコムギ畑をぜんぶあわせたよりも広いんですよ。私がアブよりたくさん税を納める必要はありません。そんなの不公平です！」

　王はそのとおりだと思った。「わかった。ただ畑の枚数だけを数えるのは、よい考えとは言えなかったな。じっさいの広さを計算しなければいけない。アブの1枚の畑は4ヘクタールで、ギダの畑は10枚ぜんぶでたったの2ヘクタールだ。だから、アブが納める税は100袋、ギダが納める税は50袋になる。計算が正しいといいのだが。こんなに数字ばっかり並べられると、頭が痛いぞ」

　こんどはアブが腹を立てて大声を出した。「それでは不公平です！　畑の広さは関係ありません。畑の土の質のほうがずっと大切なんです。私の4ヘクタールの畑は砂漠の砂地にあって、コムギはなかなか育ちません。ギダの畑の2ヘクタールは、川のすぐ近くの、とても肥沃な土地にあるんです。楽園みたいな場所ですよ！」

　そこで王は——頭痛がどんどんひどくなるのを感じながら——言った。「わかった、わかった……よくわかった。ほんとうに大切なのは、じっさいにどれだけのコムギがとれたかを数えることだ。とれたコムギの半分を納めてもらおう。収穫の季節に、アブの畑で100袋のコムギがとれたら50袋を納めなければならず、ギダの畑で200

袋のコムギがとれたら100袋を納めなければならない——それで決着だ！　ふたりとも、もう何も言うな。まだ文句を言えば、ふたりともワニの餌にする！」

　たしかに最初よりも道理にかなった解決法だった。でもそのためには、それぞれの農民がどれだけのコムギを収穫したか、だれかが数えなければならない。それも1回だけではすまず、毎年！　もしかしたら、アブは豊作の年に100袋を収穫して50袋の税を納めたかもしれないが、つぎの年はひどい干ばつで、わずか40袋しか収穫できないかもしれないからだ。それなのにまだ50袋を税として納めなければならないなら、アブの家族は奴隷として売り飛ばされるか、飢えて死ぬかになる。

　そこで毎年、だれかが畑にやってきては、王国の農民ひとりひとりに何袋のコムギを収穫したか、たずねなければならなくなった。さらに、何頭の子ウシが生まれ、何個のアヒルの卵がかえり、川で何匹の魚をつかまえたかもたずねなければならなくなった。**おびただしい数の数字だ！**

　でもそれはまだ、問題の半分にすぎなかったんだ。王は、農民からどれだけの税を取り立てるかだけでなく、運河を掘るために働く人たちや王国を侵略から守る兵士たちに、どれだけの穀物を与えたかも知っておく必要があったからね。

　ひとりの兵士がやってきて、「王さま、私はまだ今月分の穀物をもらっていません。おなかがペコペコで、どうにも戦えないのです」と言ったとしよう。そうすると王は、この兵士の言葉がほんとうで、穀物袋をわたす必要があるのか、それとも嘘を並べて余分に食べものを手に入れようとしているのか、判断しなければならない。そのためには、穀倉から出したすべての穀物袋の数を、だれかが数えておく必要があった。

　こうして、もっと数字が増えていった。それをぜんぶおぼえておける人なんか、どこにもいるはずがないよ！

　王が自分でおぼえておくのはとうてい無理だった。地位の高い聖職者も、すぐに数字を忘れた。でも、**その数字をすっかりおぼえておかなければ、王国はなりたたなかった。**

好奇心旺盛な天才に救われた

そんなわけでとても長いあいだ、人々が農耕をはじめたあとになっても、大規模な王国を作りあげるのは難しかった。そして、それを維持していくのはもっと難しかった。おとぎ話の世界では、王さまの国がよく巨人や魔術師や火を吐く竜に追いつめられるよね。ところが現実の世界の王を追いつめたのは、**すべての数字をおぼえておける人がだれもいないことだったんだ**。

でもついに、好奇心旺盛で賢い何人かの天才が、その方法を見つけだした。

その人たちが住んでいたのはエジプトではない。古代エジプトはたしかに世界ではじめての、とてつもなく大きい王国だったけれど、王国はそれよりも前にシュメールで生まれていたんだ。大昔のシュメールには何百という小さい村や町があり、ときどき人々がいくつかの町と村を結びつけて、王国を作ろうとしていた。でも、あまりにもたくさんの数字によって混乱が生じ、だれが何を所有して、だれがどれだけ税を納めなければならないか、よくわからなくなってしまった。

やがて、今からおよそ5500年前に、ウルクという都市に住む何人かの好奇心旺盛な天才が、数字をおぼえておくじつに賢いやり方を見つけた。このウルクの天才たちは、人間の脳は数字をおぼえるのが得意ではないことを、ちゃんと理解していたんだ。そこで、すべての数字をいっしょうけんめい脳のなかにしまおうとがんばるのではなく、**脳の外にしまっておく方法を考えだした！**　この偉大な発明によって、ウルクの王国をはじめ、ラガシュなどいくつかのシュメールの王国が生まれた……そしてさらに、それよりずっと大きい王国がエジプトに誕生することになった。

たぶんきみはもう、シュメール人がどうやって脳の外で数字をおぼえたか、わかっているだろう。

数字を書いておいたんだ──シュメール人は「書く」ことを考えだした。

泥遊び

「書く」ことは、情報を脳の外に保存する方法だ。シュメール人は**小さい棒を使って、柔らかい粘土板に記号を書いた**。もしかしたら、川岸の湿った泥に小鳥が足跡を残すのを目にして、思いついたのかもしれない。あるいは、シュメール人の子どもたちが泥遊びをしているときにはじまったのかもしれない。

　こんどきみが泥だらけになって帰ったとき、家の人から服をよごさないようにと注意されたら、人間がこれまでにしてきたなかで、泥遊びはたぶん最も重要なことのひとつなのだと言ってみよう。

　シュメール人ははじめ、**数字をあらわすほんのいくつかの記号を考えだし、さらに人、動物、道具、場所、日付の記号もいくつか加えていった**。こうした記号を粘土板の上にまとめて「書く」ことによって、ひとりの人が6頭のヤギをもち、別の人が10頭のヤギをもっていることを、かんたんにおぼえておくことができたんだ。また、ひとりの人は今年の税として100袋の穀物を納めたこと、別の人はもう3年間も税を納めていないので、今ではルガルキギンネドゥドゥ王に300袋の穀物を納める義務を負っていることもおぼえておけた。

　シュメール人がおもに数字と人とヤギと穀物の記号を使っていたのなら、歴史、SF、詩、哲学の本はどうやって書いたのか、不思議に思うかもしれないね。それは……ただ、書かなかっただけだ。**シュメール人は詩を書くために書くことを思いついたのではなかった。**だれが何を所有し、だれが何を納める義務を負っているかをおぼえておくために思いついたんだ。

クシムの
署名

　きみは、世界でいちばん古い文章がどんなものなのか、あれこれ考えてみたことはあるかな？　もし、古代の知恵が詰まった神に捧げる文章を思い描いていたとしたら、とってもがっかりするだろう。私たちの祖先からの最古のメッセージは、つぎのようなものだった。

　これは5000年以上前にウルクという都市で書かれた粘土板だ。「13万5000リットル　オオムギ　37か月　クシム」と書かれている。きみは、どんな意味だと思う？
　クシムという名前の人が、37か月の期間に13万5000リットルのオオムギを受け取った、と確認しているように見える。クシムというのは、きっとほんとうにいた人物の名前だろう——**自分の名前を私たちの時代まで残した、歴史上ではじめての人物ということになる！**
　歴史を振り返って、それより以前の名前はすべて、近代になってから生みだされた

ものだ。たとえば、ネアンデルタール人は自分たちをネアンデルタール人とは呼んで
いなかった。じっさいにどんなふうに呼ばれていたか、私たちにはわからないんだ。
ワンダ、スクイレル、ウィーティー、ウルフも、その昔にほんとうにいた人の名前で
はなく、架空の名前になる。でも、クシムの友だちが古代のウルクの通りで彼を見
かけたときには、「やあ、クシム、元気かい?」と声をかけていたにちがいない。

　歴史上はじめて知られた名前が、偉大な征服者でも、詩人でも、預言者でもなく、
一日じゅう穀物を数えながらすごしていた好奇心旺盛な天才の名前だというのは、と
てもおもしろいね。そして歴史上はじめての文には、哲学的な深い言葉も、詩も、
王さまや神さまの物語も書かれてはいない。**それは実用の退屈な書類で**、所有する
財産と税の納付を記録しただけのものだ。

　ただし、それが退屈な書類だという事実こそが肝心なんだよ。ワクワ
クするようなことなら、だれも書きとめる必要などなかったんだ。み
んなそれを自分たちの脳のなかで、完璧におぼえていることが
できたからね。「書く」ことは、退屈なことのために考えださ
れたものだった。

詩人と理容師

　時がたち、書くことがもっと大切になるにつれて、シュメ
ール人は財産と税のリストの横に別のことも書きとめておきた
くなった。だから、もっともっとたくさんの記号を考えだして
いったんだ。**そうしているうちに、詩や歴史書や伝説を書
けるようになった。**
　考古学者はシュメール人が作りだした記号を、「楔形文
字」と呼んでいる。楔形文字のおかげで、私たちは今、
はるか古代シュメールの時代の税のリストだけでなく、詩
も読むことができる。私たちが名前を知っている歴史上
ではじめての詩人は、エンヘドゥアンナという女の人で、
およそ4250年前にシュメールで暮らしていた。考古

104

学者はこの詩人が書いた 42 篇の詩を発見している。

エンヘドゥアンナは古代の有名な詩人だったから、その詩はあちこちに書きうつされていった。研究者は、聖書にさえエンヘドゥアンナの詩からヒントを得て書かれた部分があると考えているんだ。コピペには、ずいぶん長い歴史があるというわけだね。

私たちはエンヘドゥアンナがどんな姿をしていたかも知っている。考古学者がシュメールで発見した彫像に描かれた人物たちのなかで、どれがエンヘドゥアンナの姿かを突きとめたからだ。その彫像には、エンヘドゥアンナに仕える侍女と、つき従う理容師まで描かれている。それはイルム＝パリリスという男の人で、歴史上はじめての有名な理容師ということになる！

書くことが考えだされたというニュースがはるか遠くまで伝わると、ほかの土地で暮らす人々もそれを耳にして、すばらしい考えだと思ったらしい。バビロニア人やアッシリア人など、一部の人々がシュメールの形式をそのまま真似て、楔形文字を書きはじめた。そのほかの人々は基本的な考え方だけを受けつぎながら、**それぞれ独自の書記体系（文字の書き方や使い方の仕組み）を作りあげていく。**エジプトではまさにそのような動きが起きた。

古代エジプトの人々は、もしかしたら楔形文字があまり美しくないと思ったのかもしれない。あるいはもしかしたら、先に文字を作りあげたシュメール人をねたましく思い、自分たちのほうがもっとよくできることを見せようとしたのかもしれない。あるいはもしかしたら、ただ新しい文字をあれこれ考えるのがとても楽しかっただけかもしれない。いずれにしても、エジプト人はこれまでに考えだされたなかで最も美しく、最も複雑な書記体系を生み出した。それが「ヒエログリフ」という象形文字（ものの形をかたどって作られた文字）だ。そして粘土板に細い棒で書くかわりに、紙によく似たものにインクで書いた。**その紙に似たものはパピルスという植物から作られていて、英語で紙を「ペーパー」と言うのは、このパピルスに由来しているんだよ。**

シュメールとエジプトでこうした文字が生まれていたころ、何千キロメートルも離れた遠い地域では、ヒエログリフや楔形文字について何も知らない人々によってまた別の書記体系が考えだされていた。中国人は独自の書記体系をおよそ 3200 年前に作りだし、およそ 2900 年前には中央アメリカでも、まったく異なる書記体系が生まれていた。

これらのどの場所でも、人々は詩、伝説、歴史書、レシピを書いていた。それで

も、**世界じゅうで人々が書きとめていた何より重要なことは、まだ、財産と税の一覧表だったんだ**。そしてその一覧表は、どんどん、どんどん、長くなっていった。そこでまた新しい問題が起きてきた。自分が必要な情報を、どうやって見つければいいのだろうか？

検索する

　私たちは自分の脳に情報をしまっておけば、必要な情報を一瞬で見つけられる。だれでも脳に数えきれないほどのことをしまっておいているのに、いとこたちの名前をすぐに思いだせるし、その一瞬あとには家から学校までの道順を説明し、それから自分の好きな本や映画の名前をいくつもあげられる。ただ必要な情報について考えるだけでいい——ほら、すぐに出てくる！

　でも、粘土板や古代のパピルスや現代の紙に書かれた情報を見つけるには、どうすればいいのだろうか。紙が 20 枚なら、ぜんぶをめくって探していた紙を見つけるまでにかかる時間は 1 分くらいかもしれないね。でも、紙が 20 万枚あったらどうする？

　自分が古代エジプトに住んでいると想像してみよう。ある日、税を納めていない村人を罰するために兵士が村にやってくると、まちがえてきみの穀物を取り上げていった。きみは泣きながら、人ちがいだと訴える。なにしろきみは、きちんと税を納めていたんだから。

　「何か証拠はあるのか？」と、兵士がたずねる。

　「えーっと……」。きみはいっしょうけんめいに考えて、こう答える。「そうだ、税を集める人が、手にもっていたパピルスに私の名前を書いて、『穀物 100 袋』に印をつけました」

　「わかった」と、兵士は言う。「そのパピルスを見せてくれれば、おまえの穀物を返してやろう。それまでは、われわれがお前の穀物袋をあずかっておく」

　どうする？　その穀物を取り上げられたら、きみの家族には食べるものがなくなってしまう。どうしてもパピルスを取り戻す必要があるね。そこで村を出て大きい都市まで歩いていき、王が重要なパピルスをすべて保管しているという「文書保管所」

の建物をたずねていく。

　保管所のドアをたたくと、番人から明日また出なおすようにと言われた。「きょうは検査があるから、文書保管所は閉館している」

　そこで翌日に出なおすと、こんどは番人がこう言うんだ。「きょうは休日だ。みんなワニの神さまをたたえるために、神殿に行ってしまった」

　3日目、番人はこう言う。「よし、中に入っていいだろう。でも税の記録を担当している係はいないよ。ワニの神さまの神殿で、焼いたアヒルを食べすぎて、お腹を痛くしたからね」

　4日目になって、きみはようやく事情を聞いてもらい、自分の名前を書いた書類を見せてほしいと伝えることができる。係の人は──まだ少しお腹が痛そうにしながら──きみを広い部屋に案内してくれた。ドアに大きく「税」と書いてある。ようやく係の人にドアをあけてもらえた……が……絶望のあまり、きみは目を大きく見開いて立ちすくんだ。その部屋のなかには数えきれないほどのパピルスが、床から天井に届く高さまで、山のように積み上げられていたんだからね。

　ひとつの山のてっぺんにはクモの巣が張っている。別の山のいちばん下にはネズミの家族が住みついて、パピルスは糞まみれだ。3つ目の山は虫に食われているのが見える──きみの名前も虫食いのせいで消えてしまったかもしれない！　でもいったい全体どうやって、この山のなかから自分の名前が書かれた1枚だけを、虫がたどり着くより先に探しあてることができる?!

　これでわかるように、情報というものは、ただ書きとめただけでは役に立たない。その情報を手早く「見つけられる」方法を、わかっていなければならないんだ。そのためには、保管所と書庫を整理し、目録を作り、整理係を置く必要がある。整理係には、情報を整然と保管して必要な情報を見つけられるように、訓練を受けてもらわなければならない。

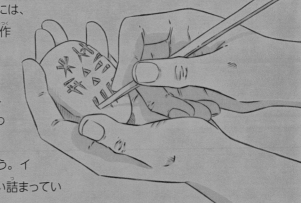

　インターネットを考えてみよう。インターネットには情報がいっぱい詰まってい

るね。たとえば、ヒエログリフについてだけでも無数のウェブページ、画像、論文が
ある。**ところがそうした豊富な情報も、グーグルのような検索エンジンがなければ
役に立たない。**検索エンジンが情報を生み出すことはないけれど、ボタンひとつで
情報を見つけられるようにしてくれる。

　グーグル検索に「ヒエログリフ」と入力して Enter キーを押せば、1 秒もかからず
に何百万件もの結果が表示され、しかも関連度が高いものから低いものへの順に並
んでいるはずだ。百科事典に書かれた説明から、古代エジプトのじっさいのヒエログ
リフの画像、さらにヒエログリフの書き方を教える動画まで、かんたんに見つけるこ
とができるよ。

　検索エンジンがない状態をちょっと考えてみよう。それでもなんとかインターネット
を検索することはできる。見たいサイトのアドレスがわかっていれば、そのアドレスを
入力すればいい。一瞬で目的のサイトが表示される。でもアドレスを知らない場合は、
手あたり次第にアドレスを入力してみて、どれかにヒエログリフについての情報が含
まれていることを願うしかない……あまり効率的とは言えないね。**まるでパピルスが
山のように積まれた部屋に入り、ただ手あたり次第に自分の税の記録を探すような
ものだ。**

　古代のシュメール、エジプト、中国にいた好奇心旺盛な天才たちは、書くことを思
いつくことによって歴史を変えたが、それだけではない。彼らは情報を効率的に保管
して探す方法も考えだして、さらに大きく歴史を変えた。その方法は「官僚制」と呼
ばれている。

王の
書きもの机

　官僚制は、税と同じように、おとなたちにこわがられているらしい。おとなたちは
ひとりの官僚といっしょに1時間すごすくらいなら、3人の幽霊とふたりの怪物といっ
しょに丸1日をすごすほうがいいと言うだろう。官僚制をあらわす英語「ビューロク
ラシー」は、書きもの机（ビューロー）という語から生まれていて、官僚制というのは
「書きもの机を使って人々を管理する」ことを意味している。

　だれかが引き出しのいっぱいついた机の前にすわっているところを想像してみよう。
その人は、ひとつの引き出しから書類を取り出し、2番目の引き出しから別の書類を
取り出し、それらをよく読んでからていねいに新しい文書を書き、それを3番目の引
き出しにしまう。その仕事をするのが官僚だ。**多くの人々は読むことと書くことを学
べるが、官僚はどの書類をどの引き出しに入れるかも知っている。**それが彼らの秘
密の力なんだよ。官僚はものを見つけることができるし──ものを消してしまうこと
もできる。そうやって人々を支配する。

官僚制は魔法のような力をもっている。おとぎ話には、呪文をとなえて村をひとつ作りだしたり消したりできる魔法使いが登場する。一方の官僚は、紙をあちこちに動かして、村を作りだしたり消したりできる。邪悪な官僚は、村の税を記録した紙をまちがえた引き出しに入れるだけで、その村を飢えさせることができるだろう。善良な官僚は、なくなった書類を見つけるか、王の税一覧からその村の名前を消すことで、その村を救うことができるだろう。ペンをちょっと走らせるだけで、100人の人々が救われることもある。

なかには、力をにぎる者は剣と銃を使ってみんなを統治すると思っている人がいるかもしれない。たしかに、剣と銃をもった戦士は王国を征服するためには役立つだろう。けれども王国を支配したければ、机にすわったまま書類をあちこちに動かす官僚が必要になるんだよ。

学校にはなぜ試験があるの？

歴史上で大事なことの大半は、官僚によって計画されてきた。古代エジプトでは、人々を洪水から守る堤防の建設も、人々を干ばつから守る貯水池の掘削も、人々を飢饉から守る穀物の輸送も、計画したのは官僚だった。

今もまだ、大事なことの大半は官僚によって計画されている。官僚がいなければ、だれも道路や空港や病院を建設することはできなかった。きみたちの学校を動かしているのも官僚だ。どの子どもたちが学校に通うか、どの先生がどのクラスを教えるかといったことの仕組みも、官僚が作っている。毎月、先生に給料を支払うのも官僚だ。きみは、どうして学校には試験があるのか不思議に思ったことはある？　それは、官僚がそうするようにと言ったからなんだ。

官僚は、きみたちが試験で書いた答えをわざわざ読んだりはしない。それはきみたちの先生の仕事になる。でもきみたちの先生はたいてい、試験のあとや1年の終わりに成績表をわたしてくれるね。成績は数字だ。官僚はその数字をもとにして、きみたちに関するあらゆることを決められるようにしている。

きみが将来、数学の天才が集まるクラスとか音楽学校とかに行きたいと思っている

としよう。行けるか行けないかを決めるのはだれだろう。官僚が、きみに関するすべての数字にもとづいてイエスかノーかを判断することに決めたんだ。きみはまだ知らないかもしれないけれど、**きみの将来は、官僚が作った仕組みと、きみに関する数字が書かれた紙で決まることが多い。**

　このように、官僚はとても大きい力をもった人たちだ。いちばん近いのは手品師や魔術師かもしれない。でも、官僚になるにはどうすればいいのかな？

学校の誕生

　古代シュメールとエジプトでは、官僚になりたい人は読み書きと計算、それから検索の方法を学ばなければならなかった。そしてそのためには、学校に行かなければならなかった。歴史上はじめての学校を作ったのは、古代シュメール人とエジプト人だ。

　考古学者は、学校が大きらいだった古代エジプトの少年ペピについて書いた文章を発見している。ペピは裕福な家庭に生まれ、古代エジプトでは**裕福な家の子どもたちだけが学校に行った**。でもペピは、自分が幸運に恵まれていることに気づいていなかったんだ——ペピは学校なんておそろしく退屈なものだと思っていたんだよ。そこでペピの父親のケティが、ペピを激励する言葉をかけたというわけだ。現代の考古学者は、そのときのケティの言葉を正確に読むことができる。

　ケティは、生きていくうえでは退屈よりひどいものがあることをペピに気づかせようと思い、ごくふつうの農民がどんな暮らしをしているかをペピに話した。ケティがペピに話した内容は、つぎのようなものだ。「農民は、たえず自分の畑のことを気にかけている。くる日もくる日も川で水をくみ、桶に入れては畑まで運んですごす。重い荷物のせいで肩は曲がり、首が痛む。午前中には野菜の畑に、午後にはくだものの木に、夕方にはコリアンダーの畑に、それぞれ水をやらなければならない」

　ケティはさらに、自分の畑をもたない人たちはもっと悲惨だと説明した。「自分の畑をもっていなければ、だれかほかの人の畑で働かなければならない。たいていの農場労働者は、いつも体のどこかを痛がっている。ぼろ布をまとい、体からは悪臭がただよい、朝から晩まで精を出して働くせいで手はまめだらけだ。それからファラオ

の兵士がやってきて貧しい男を連れていき、用水路を掘らせ、堤防を作らせる。働いた報酬はどれだけもらえるのだろうか？　まもなく病気になって、死んでしまうだけだ！」

　ペピは父親に言われたことを理解し、学校に行くようになった。**退屈するのは、苦しい仕事をするよりましだと思えた。**ほかの人がするべきことを並べるのは、それを自分でするよりかんたんだ。書類を書くのは、水路を掘るよりかんたんだ。

骸骨はめったに嘘をつかない

　ペピとは異なり、古代エジプトのほとんどの子どもたちには選択肢がなかった。エジプトのアマルナという場所で、考古学者が**100体を超える骸骨が埋まった墓地**を発見したとき、そこに埋葬されていた人々の半数は7歳から15歳までで、背骨、膝、手に負傷の跡が残されているものが多かった。その若さで、おそらく建設の労働に加わっていたのだろう。アクエンアテンと呼ばれるファラオの奴隷だったようだ。

　アクエンアテンはアマルナに新しい首都を建設しようと考え、砂漠のまんなかに自分の都が姿をあらわすのを、一刻も早く見たいと思った。そこでファラオの官僚たちがあらゆるところに手紙を書いて、エジプトじゅうからアマルナに大量の労働者を送り込むよう求めると、いつにない勢いで彼らを働かせた。労働者たちは採石場から石を切り出し、**それを何キロも運んで、家屋、宮殿、神殿を建設した**——空には焼けつくような砂漠の太陽が輝き、いたるところにハエやサソリがいて、食べものはほとんどなかった。

　そうした労働者の多くは子どもで、家族から引き離されて連れてこられ、二度と親に会うことはなかった。彼らが死ねば、官僚はただもっと労働者を送りこむよう命令するだけだ。おそらく子どもの死が親に知らされることもなかったのだろう。

　アクエンアテンの官僚たちは悪いことをたくさんしたが、もちろん、そんなことを認めるつもりはなかった。人は自分が悪いとは考えたくないものだからね。そこで新しい都の宮殿と寺院を美しい絵で飾った。絵のなかでは、穀倉に穀物がぎっしり詰まり、テーブルに食べものがあふれ、たびたび開催されたであろうファラオの宴のひとつで音楽家が優雅に演奏する。ペピのような教育を受けた人物が書いた碑文は、人民に

対するファラオのすばらしい行ないをたたえ、ファラオの統治のもとではだれもが幸せだったと断言している。こうした絵と碑文は、ファラオが聞きたいと思った物語を描くものだった……**が、墓地のなかの骸骨が私たちにほんとうのことを語ってくれる。**

　つまり、もしほんとうのことを知りたいとほんとうに思っているのなら、文章で読むことや写真で見ることをすべて信じてはいけないよ。正直な意見を聞きたかったら、いつも骸骨にたずねるのがいちばんだ。骸骨はめったに嘘をつかない。

第<だい>4章<しょう>

死<し>んだ
人々<ひとびと>の夢<ゆめ>

ルールを
変える？

もしきみがアクエンアテンの都を建設する奴隷のひとりなら、どうする？

　たぶん、砂漠のまんなかでたいへんな仕事をするのなんかやめて、家に帰りたいだろうね。でもそれはルール違反だ。**奴隷は許しがなければどこにも行けず**、だれもきみに、家に帰っていいという許しをくれはしないだろう。ルールを破ることはできるけれど、とても危険だ。逃げようとすれば、ファラオの兵士につかまって、ムチで打たれ、殺されてしまうかもしれない。それでもやってみる？

　もしきみがファラオの兵士のひとりで、奴隷が逃げるところを見かけてしまったら、どうする？

　たぶん、奴隷がかわいそうで、家に帰らせてあげたいと思うだろうね。ルール違反であることは知っていても、もともとこのルールを好きではないから、こう思うかもしれない。「眠っていたから何も見なかったというふりをしよう」

　でも、**見張りの仕事中に眠ってしまうのも、やっぱりルール違反だ**。もし偉い官僚に見つかれば、その官僚がファラオに報告して、きみが見張り中に居眠りをしていたか、わざと奴隷を逃したかのどちらかだと伝えると思うとおそろしい。そんなことになればファラオは激怒して、自分まで奴隷にされるか、殺されてしまうかもしれない。その反対に、もしきみがルールに従って、その奴隷をつかまえれば、ファラオはきみを昇進させて、給料だってあげてくれるかもしれない。それでも奴隷をそのまま逃してやるかな？

　　もしきみが偉い官僚で、兵士が奴隷を見逃そうとしているところを見かけてしまったら、どうする？

　　たぶん、その兵士は親切だから、罰せられてほしくないと思うだろうね。

　　でも、それがルール違反であることは知っているし、ルール違反を報

告するのが自分の仕事だということもわかっている。それなら、「気づかなかったふり、忘れてしまったふりもできる」と思うかもしれない。

　でもルールには、**すべてのことに気づいてファラオに報告するのが官僚の仕事だ**と書いてあった。それにファラオからは、できるだけ早く新しい都市を完成させるようにと命令を受けている。奴隷たちが逃げてしまえば、建物はいつまでたっても完成しない。ファラオは激怒して、そうなれば自分の立場も終わりだ。

　さらに、人々がただ自分のきらいなルールに従うのをやめてしまうだけで、その成り行きはどうなるのか見当がつかないこともわかっている。ルールを無視して奴隷を逃すことにきめた兵士は、つぎもまた別のルールを無視して、戦いの最中に軍隊から離脱するか、敵に国家の秘密を売ることさえあるかもしれない。だから、兵士のことをファラオに報告しようか。

　もしきみがファラオだったらどうする？──ルールを変える？

　たぶん、奴隷制は悪いものだと思うし、命令に従わない人たちを罰するのも好きではないだろうね。でも、自分が急にルールを変えたら何が起こるか心配だ。**エジプトを作りあげ、100万人の人々が効果的に力をあわせるようになるまでには、何百年もかかった。**どんなルールにも理由があった。

　だからもし急にルールを変えれば、人々はどうすればいいかわからなくなるだろう。税を納めるのを拒むかもしれない。兵士は命令に従わなくなるかもしれない。だれも町や堤防や運河の建設をしなくなる。そんなことになれば大混乱だ！王国全体が崩壊する！　何千人もの人々が、戦争や洪水や飢饉で命を落とすかもしれない。それもみんな、きみが自分はルールを変えることができるほど頭がいいと考えたせいになる。

　それでもきみはルールを変えたいと思う？　人々がとても不公平なルールに従っているときでさえ、そのルールを変えるのは、いつもかんたんとはかぎらないんだ。

人生はそんなもの

　古代エジプトのような王国を作りあげるためには、たくさんの人々がたくさんのルールに従う必要があった。ルールに従わなければならなかったのは、奴隷と兵士と官僚だけではない——すべての人々が従わなければならなかった。「いっしょうけんめい働きなさい、たくさんの子どもをもちなさい、税を納めなさい……王に命令されたことはなんでもしなさい」といったルールで、**人々がこのルールに従っていれば、王国では秩序が保たれた**。人々がルールに従わなければ、混乱が生じた。

　すべての人々をルールに従わせるのはかんたんではない。ルールの多くがあまり公平ではなかったのだから、なおさらだ。ルールは一部の人々を裕福にし、残りの人々を貧しくした。ルールは、裕福な男の子は学校に行き、裕福な女の子は家庭にとどまり、貧しい男の子と女の子は畑でせっせと働くようにと命じた。**人々のあいだのこうしたちがいは、自然の法則とはまったく関係のないものだった。** 一部の人たちを奴隷にしたのも、女の子が学校に行くことを禁じたのも、重力のせいではなかった。これらのルールを生み出したのは、人類だったんだよ。

　ペピという名前の小学生の男の子と、マアトという名前の農場で働く女の子が、通りで出会ったとしよう。

　「どこへ行くの？」と、マアトがたずねた。

　「読み書きを習うために学校へ行くところさ」と、ペピが答えた。「ぼくは大きくなったら偉い官僚になるんだ！」

　「わあ、すごい」と、マアトは大きい声を上げた。「私も学校に行って、偉い官僚になりたいな。で

も私は学校じゃなくて畑に行かなくちゃ──きょうはタマネギの収穫なんだ。どうして入れ替わっちゃだめなのかな。私が学校に行って、きみがタマネギの収穫に行くのはどう？」

「ごめん」と、ペピが言った。「でも、ルールなんだよ。ぼくのお父さんは裕福な官僚だから、ぼくは学校に行かなくちゃならない。きみの両親は貧しい農民だから、きみはタマネギを収穫する。それにもしきみの両親が裕福だったとしても、きみは女の子だからね。学校には行けないよ！　ぼくにはお姉さんと妹がぜんぶで3人いるけれど、だれも学校には行ってないんだ」

「ずいぶん不公平ね！」と、マアトは叫んだ。「だれがそんなルールを作ったのかな？私がそのルールに賛成かどうかなんて、一度も聞かれたことないよ」

「ぼくのせいじゃないさ」と、ペピは言った。「ぼくはまだ10歳だもの！　ぼくがそのルールを作ったわけでもないよ。最初からこうなんだから。おとなはいつも言っている、人生はそんなものなんだって」

「ふん……」と、マアトは怒ったように言った。「人生はえこひいきするんだね！」

さわってはいけない

世界には、エジプトよりルールが厳しい場所もたくさんあった。たとえば古代インドでは、あるグループの人々が数多くのひどいルールに苦しめられていた。今ではその人々は「ダリット」と呼ばれていて、それは「しいたげられた」または「抑圧された」人々を意味している。でも何世紀にもわたって、その人たちに対する呼び名は「不可触民」だった。**ほかの人たちがさわるのをいやがり、近づくのさえきらっていたからだ。**ルールによって、ほかの人はダリットと友だちになること、さわること、近くに寄ることまで禁じられていた。

ダリットは、古代インドでは、よごれていると考えられた清掃やごみ集めなどの仕事を強制されていた。こうした仕事はじっさいには重要で、しかも難しいのに、ダリットは賃金を少ししか受け取れず、ボロボロの服を着てわずかな食べものでしのぐしかなかった。ダリットの近くに住みたい人はいなかったから、町や村の外に小屋をたてて暮らした。

　ダリットの子どもたちは学校に行かず、読み書きも習うことはなかった。ほかの子どもたちは、ダリットの子どもたちを家に呼ぶことも、いっしょに食事をすることも、友だちになることもなかった。

　こうして人々はダリットをじつに不当に扱ったんだ。**その一方で、別の人たちをとても敬った。**それは「バラモン」と呼ばれる聖職者だ。バラモンは、たいていは裕福で、立派な服を着て、おいしいものを食べていた。そしてよい仕事を与えられ、美しい寺院に属したり、人々が納める税の額を書きつけたりした。バラモンの子どもたちは学校に行った——ただし男の子ならば。バラモンの男の子は、自分たちはほかのだれよりもすぐれていると考え、ダリットよりは絶対に上だと思っていた。だからダリットの女の子がバラモンの男の子と通りで出会ったとしても、声をかけようとさえしなかっただろう。

　ダリットの子は、どうやってダリットになったのだろうか。それは単純な話だ。ルールによれば、両親がダリットなら、その子どももダリットだ。「大きくなったら何になりたい？」なんて、だれも聞いてはくれなかった。**どんな才能があるとか、大きくなったら何をしたいとか、まったく関係なく、**やがてボロボロの服でトイレを掃除することになった。

　でも、もしお母さんがダリットで、お父さんが別の、たとえばバラモンの聖職者だったらどうだろう。その子どもは、どちらか好きなほうを選べたのだろうか……でも、そんなことは起こるはずがなかった。別のルールがあって、聖職者はダリットと結婚することも、ダリットとのあいだに子どもをもうけることも、ぜったいに許されなかったからだ。

　それなら、もしもきみがダリットの子で、聖職者の子と恋に落ちてしまったら、どうなる？　きみにとっては不幸なことだけれど、だれもきみの気もちなど気にかけてはくれなかった。ルールには従わなければならなかったからだ。

ごほうびが
ほしい人は？

　では、人々はなぜルールに従ったのだろうか。

　だれかにルールを守らせる方法のひとつに、ごほうびを与えるというものがある。きみにも、親から言われたとおりのことをしてクッキーをもらえた経験があるかもしれない。でもこの方法には大きい問題があるんだ。全員にいつも与えるほどたくさんのごほうびを用意するのは難しいからね。たとえば、もしきみが毎日、宿題をしたら1枚、ごみ出しを手伝ったら1枚、その2枚を食べながら口を開かなかったら1枚、とクッキーをもらいつづけたら、山ほどのクッキーが必要になる！

　それに、「悪いことをしない」というルールについてはどうだろう。毎日、やれば

できるけれどしないという悪いことなど、数えきれないほどある。弟の鼻をつままない、靴下をリビングに置きっぱなしにしない、テレビを壊さない。これでは毎日どれだけクッキーを用意しなければならないか、見当もつかないね。

　古代エジプトのファラオの場合も同じことだった。官僚と兵士が正しいことをしたあと、そのたびにごほうびとしてコムギ畑をひとつずつ与えなければならないとしたら……すぐに、エジプトじゅうを探しても残ったコムギ畑は見つからなくなるだろう。

　だめだ。人々がルールを守るたびにごほうびを与えるという方法は、成り立たない。

だれが見張りを見張るのか

　だれかにルールを守らせるもうひとつのわかりやすい方法は、ルールを破ったら罰するというものだ。農耕民はこの方法でウマやウシに言うことをきかせた。柵のなかに閉じ込め、縄でしばり、従わなければたたいたんだよ。

　王も農民に対して、同じことをしていた。農民が近くの家からアヒルを盗めば、ファラオは兵士を送って盗人をとらえる。そのとき兵士は盗人をしばりあげ、たたき、牢屋に入れる。そしてこの方法には効果があることが多かった。何かを盗むとどうなるかを、農民たちは自分の目で見ているので、ほかの人の財産に手を出すのをためらうようになるからだ。

　それでも、ただ罰するだけで全員に言うことをきかせるのは無理だ。もし自分がファラオだとしたら、どこかの農民がアヒルを盗んだかどうか、どうすればわかると思う？　朝から晩まで見張っているわけにはいかないんだ——なにしろ自分は首都の美しい城で暮らし、農民は遠くの村の泥の小屋で暮らしていたんだからね。

　泥の小屋のそれぞれに兵士を配置して、そこに住む人たちを見張らせることはできただろうが、それもひどく難しい。第一に、そんなにたくさんの兵士をどこから集めてくる？　それに、肝心の兵士がルールを破らないとはかぎらない。きみの親がどこかに出かけて、きみを見張っていられない場合を考えてみよう。きみのお姉さんに、「家にいて、私たちのかわりによく見ていてね」と頼むことはできる。でもそのお姉さんがぜったいにルールを破らないとは言えない。

　兵士でも同じことだ。王がそれぞれの家に兵士を送り、そこに住む人々が近所か

123

らアヒルを盗まないように見張るとして、こんどはまたそれぞれの家に2番目の兵士を配置して、最初の兵士がアヒルを盗まないように見張らなければならない。それでもその2番目の兵士が悪いことをしないなんて、だれも約束はできないんだ。

　この問題は、どの時代にも賢い人々を悩ませてきた。彼らはたびたび、「秩序を守る見張りを置くとして、だれが見張りを見張るのか」と自問した。そして、罰するだけでは秩序を守ることができない、という結論に達した。

権力をたもつ秘訣

　秩序を守る唯一の方法は——家庭でも王国でも——ごほうびも罰もなしに自ら進んでルールを守る人を、たくさん生み出すことだ。でも、その人たちは、なぜそんなことをするのだろうか？　それは、ルールを信じているからだ。それが秩序を守る成功の秘訣になる——人々はルールを信じるから、ルールを守る。

　でも、どうすれば人はルールを信じるようになるのだろうか？　それよりもっと重大な問いはこうなる——どうすれば貧しい人も、奴隷も、ダリットも、自分たちをみじめにするようなルールを信じるようになるのだろうか？

　その答えは、物語だ！　物語なんか何の役にも立たないと思っているかもしれないけれど、じっさいには、物語は人類がもつ最大の力なんだよ。それは私たちの、秘密のスーパーパワーだ。人々にルールを信じさせることによって、よい物語の語り手は100人の兵士の仕事をはるかに効率的にやってのける。

　古代エジプトが繁栄するよりずっと前から、人類は物語を頼りにしはじめていて、それは農業革命よりも前のことだった。何万年も前に、人類はすでに物語を利用していくつかの集団をひとつの大きい集団にまとめ、その大きい集団のメンバーすべてが従うルールを確立していた。人類が強大な力をもち、ほかのすべての動物を圧倒できたのは、物語があったからだった。

　ライオンやオオカミが群れで力をあわせることもあるが、その機会はわずかなものだ。1000頭のライオンが力をあわせて何かに取り組むことはできない。ライオンに

は物語がないからなんだ。そして物語によって1000人の人類が集団を作りあげれ
ば、その集団はどんなライオンの群れより、どんなオオカミの群れより、はるかに力
強い。**すぐれた物語をもつ人類の集団は、世界で最も強大な力をもった。**

　農業革命のあと、聖職者と首長が物語を用いたからこそ、人々はいっしょうけん
めいに働いて神殿を建てることも壁を見張ることも引き受けた。村が大きくなって都
市になり、いくつもの集団が大きくなって王国になるにつれて、物語も大きくなって
いった。小さな集団は小さな物語でうまくまとまったけれど、大きな王国を作るため
には大きな物語が必要になった。

　巨大な王国にはそれぞれに独自の大きな物語があり、その大きな物語によって、
すべての王国のルールが正しいものに思えるようになった。人々がその物語を信じれ
ば、ルールも信じるようになり、たとえルールによって自分がみじめになるとしても、
たとえ見張って罰を与えようとする兵士がいなくても、それに従ったんだ。

羽毛と
ワニ

　王国の大きな物語を語るのは、とても大切な仕事だった。王自身は国の統治で忙しく、一日じゅう物語を語ってすごすことなどできない。そこで、物語を語る特別なグループを頼りにするようになり、その語り手たちが聖職者だった。

さまざまな王国の聖職者たちは、あらゆる種類の大きな物語を思いついた。だが最も人気があったのは、世界を創造し、すべてのルールを作りあげた偉大なる神の物語だ。それぞれの王国で多少のちがいはあるものの、世界じゅうの聖職者たちがこの物語を語っている。古代エジプトの小学生だったペピも、おそらく学校でこの物語を聞いていたはずだ。

　「むかしむかし」と、ペピの先生は話しはじめる。「世界にはまったく何もなかった。それから偉大なる神々が、あらゆるものをお創りになった。神々は太陽を、月を、そしてナイル川をお創りになった。そして、木々と動物たちと人間もお創りになった」

　「クモも創ったの？」と、クモが大きらいな子どもが口をはさむ。

　「そうだ、クモもだ。手を挙げないで話してはいけないよ。こんどやったらムチ打ちだ」

　「ごめんなさい、先生」

　「どこまで話したんだったかな？　そうだ、偉大なる神々が、あらゆるものをお創りになった。神々は、農民、兵士、神官、奴隷をお創りになり、賢明で偉大なる王に、

126

大地のすべてを率いるようにとお命じになった。それから、すべてのものが従うべきルールをお創りになった。そしてそれらのルールを、最も重要な人々にお話しになった。それは王と神官だ。その後、王と神官はそれらのルールをほかのみんなに伝え、本にも記して、忘れる者が出ないようにした」

　クモがきらいな子どもは手を挙げたが、先生はそれを無視して話をつづけた。「人々がそのルールに従えば、神々はとてもお喜びになり、エジプトを洪水、干ばつ、飢饉、敵から守ってくださる。もし人々がそのルールを破れば、神々はお怒りになって、災害をもってエジプトを罰するであろう」

　「クモみたいな？」

　「ちがう！　もう1回クモの話をしたら、おしおきだぞ！　もっとずっと大きな災害だ。洪水や干ばつのような。そして神々はごほうびや罰を、エジプト全体にくだされるだけでなく、ひとりひとりの者にもくだされるのだ」

　先生はクモがきらいな子どもに目をやり、こう言った。「きみが死んだあと、神々はきみの心臓をとって、羽毛と重さくらべをなさる。きみが一生のあいだルールを守っていれば、きみの心臓は羽毛より軽くて、神々はきみを天国というすばらしい場所につれていってくださるんだ。でもきみがルールを破るたびに、たとえば手を挙げないで教室で声を上げるとかするたびにだな、きみの心臓は少しずつ重くなっていく。きみの心臓が羽毛より重くなれば、きみが天国に行くことは許されない」

　「そうしたら、ぼくはどこに行くの？」クモがきらいな子どもはこわごわ聞いた。

　「ああ……」。先生は声をひそめて言った。「その場合は、おそろしい悪魔がきみを食べてしまう。悪魔の下半身はカバ、上半身はライオン、そして頭はワニだ。名前はアメミット、すなわち『死者を食らう者』。きみが生きているあいだにあまり何度もルールを破れば、アメミットがきみを食らい、きみは永遠に、火が燃えさかるその胃のなかですごすことになるのだ！」

　クモがきらいな子ども
は泣きだし、ペピもほかの子ど
もたちもおそろしくて震えあがった。先
生は何度も何度もこの話を聞かせ、子どもたちは話
を聞くたびに、どんなルールでも絶対に守ろうと心に決めた。ワニ
の悪魔に食べられたい子など、ひとりもいなかったからね。
　神々と羽毛とワニの悪魔についてのこの物語は、とても重要なものだったんだ。
**これがなければ、古代の人々はおそらくエジプトを作りあげることはできなかっただ
ろう。**物語そのものは、ほんとうの話ではなかった。人間が死んだあと、それを食
べてしまうワニの悪魔などいなかったし、エジプトを洪水、干ばつ、飢饉から守る神
もいなかった。それでも、もし人々がその物語を信じてルールに従えば、いっしょう
けんめい働いて、力をあわせて運河と堤防と穀倉を作るだろう。そしてこのことこそ
が、人々を、干ばつ、洪水、飢饉から守ることになった。

影のない物語はない

　こうして、大きな物語がほんとうのことではなかったとしても、人々がそれを信じ
ることで王国は安定した。ただし、物語には影の側面もあった。それは、とてもたく
さんの人々をみじめにしてしまうような不公平なルールでも、正しいと思わせてしまう
ことだった。だからペピは、先生からワニの悪魔の話を聞いたあとにはいつも、農
民のマアトの不満を黙って聞いていられなくなった。エジプトのルールは不公平だと
マアトが不満を口にすると、すぐにさえぎってしまう。
　「気をつけたほうがいい！　そういうルールは偉大なる神さまたちによって作られた

んだから。きみは神さまが不公平だなんて思う？　もしルールを破ったらどうなるか知ってるの？　ワニの悪魔に食べられちゃうんだ！　ほんとうだよ──学校で聞いたんだから！」

「えー、いやだ！」と、マアトはこわくなって大声をあげた。

「でも心配はいらない」と、ペピはマアトを慰めた。「神さまたちはきみのことが好きだからね。神さまたちはきみを農場の女の子にしたけど、それは大事な仕事をお与えになったからだよ。食べるものを育てて、みんなが食べられるようにしている。もしきみがルールを守って正直に仕事をすれば、きみの心臓は羽毛より軽くなって、きみは永遠に天国ですごすことができるんだ。ありがたいとは思わない？」

「それはそうね」と、マアトは同意した。「わかった、急いで畑にいく。遅れないようにしないと──きょうはニンニクの収穫だし……」

　こうして、ワニの悪魔の物語はエジプトの王国建設に役立ち、エジプトの貧しい人々さえすすんでルールに従うようになった。もちろん、貧しい人々のすべてが物語を信じていたわけではないけれど、信じた人は多かった──なんといっても、自分が知っているいちばん偉い人たちはもちろん、まわりの人はみんな信じているように見えたからだ。

巨人の口

　ただしエジプトの外で暮らす人々は、ほとんどこの物語を信じることはなく、聞いたことさえない人もいた。「ワニの悪魔だって？　心臓と羽毛の重さをくらべる？　ばかげているよ！」**けれどもその人々には、また別の物語があった。**たとえば、インドのバラモンの聖職者がバラモンの小学生たちに、インドのルールを教えたいときには、神々と巨人の物語を話してきかせた。

「はじめ、世界に人間はいなかった」と、バラモンの聖職者は言った。「太陽と月さえなかった。いたのはひとりの巨人、プルシャだけだ」

「かわいそうな巨人」と、ひとりの少年が言った。「とっても退屈だったろうね」

「そのとおり、とても退屈だった！」と、聖職者も言った。「そこで世界をおもしろくするために、神々はプルシャを小さいたくさんの部分に分けた。プルシャの目から太陽を、そしてプルシャの心臓から月を創った。それから何人かの人間も創ることにして、プルシャの口からある種類の人々を創った。その人々はとても賢く、話をすること、物語を語ることが得意だった。それはだれだかわかるかな？」

「わかる！」と、小学生たちは声をそろえて言った。「それはぼくたち、バラモンだ！」

「そのとおり」と、聖職者はにっこりした。「では、神々はプルシャのたくましい腕からだれを創ったと思う？」

「戦士！」と、小学生たちはまたいっせいに大声をあげた。

「そして、プルシャのふとももからは？」

「商人と農民！」

「きみたちは、とっても賢い！　みんな正解だ。そして最後に神々は巨人の足をとって――そこは体のなかでいちばん下の、いちばんきたない部分だな――それも人間に変えた。それはだれかな？」

「奴隷！」と、小学生たちは言った。

「そのとおり！」とほほえんだ聖職者は、子どもたちが物語をすっかりおぼえているので、うれしくなった。「こうして、巨人の体の異なる部分から異なる人々が創られた。だから、**体のそれぞれの部分にはそれぞれ異なる仕事があるように**、異なる種類の人々も生きるうえで異なる仕事をもっている。体のそれぞれの部分は、それぞれに決められたことをしなければならない。もしも足が『もう歩くのはあきあきだ。かわりにおしゃべりしたい！』と言ったり、胃が『一日じゅう、ただ食べものを消化しているのは疲れた、何かを見たい！』と言ったりしたら、体はどうなるかな？」

　小学生たちは、これについて少し考えた。しばらくして、いちばん頭のいい少年が言った。「体はバラバラになっちゃう」

「そのとおり！」と、聖職者は言った。「それは王国でも同じことだ。もし農民たちがみんな農業をやめて、かわりに一日じゅう物語を語ったり、ごみ集めをする人たちが急にみんな聖職者になったりしたら、王国は壊れてしまうんだ。だから、ひとりひとりがきちんと自分の仕事をして、それに満足していなくちゃいけないね」

　それから聖職者は、それよりもっと大切なことをみんなに話して聞かせた。「人が

年をとって死ぬと、もう一度、赤ちゃんとして生まれてくる。でも
その人のつぎの人生、つまり来世は、今の人生、つまり現
世で、どうふるまったかによって決まるんだよ。もしもその
人がきちんとルールに従い、文句を言わずに自分の役割を果た
せば、来世ではもっとよい場所に生まれ変われる」

「何かな、バラモンとか？」と、少年たちは笑顔になった。

「そうだ、そうだ。もし今は召し使いをしていても、すべてのルールを守っていれ
ば、豊かなバラモンの聖職者に生まれ変われる！　その反対に、ルールを破れば、
現世ではバラモンでも、生まれ変わったら貧しい召し使いだ」

　少年たちの顔から笑顔が消えた。いつか自分が召し使いになるなんて、考えたく
なかった。

「わかったね」と、聖職者は話を終える。「すべては、とっても公平だ。豊かで力の
ある人たちは、前の人生、つまり前世での、よいおこないが報われているだけだ。
貧しい召し使いは、前世のおこないの罰を受けている。そして召し使いだって、ルー
ルに従うのは当然だ。現世でルールに従えば、来世ではバラモンになれる」

　バラモンの聖職者は、あらゆる人々にこの話をした。バラモンの小学生たちだけ
ではなく、戦士にも、農民にも、奴隷にも、そしてその奴隷よりもっと下の階級とみ
なされたダリットにもだ。だからすべての人々が──奴隷とダリットのなかでは、少
なくとも一部の人たちが──**ルールは公平で、従うべきものだと信じた**。今でもまだ、
インドの人たちの一部はこの物語を信じている。

　きみの国にも、たくさんの不公平なルールを正しく見せてしまう物語があるだろう
か？

131

魔法の
におい

　大きな物語のなかには、不公平なルールを正しく見せるだけではすまないものもあった——それは、人間の「むかむかする」感情を引き起こすものだ。むかむかするのは最も基本的な感情のひとつで、だれもがときどき感じ、動物でさえ感じることがある。ふつうは、腐った食べものやだれかが吐いたもののにおいなど、何か気分の悪くなるもので引き起こされる。でも生まれたばかりの赤ちゃんは、むかむかするのがどんなものかを知らない。**小さい子どもは自分の口のなかにさまざまなものを入れて、はじめてむかむかするのはどんなものかを学ぶ。**何かを口に入れたとき、変な味がしたり気分が悪くなったりすれば、つぎは同じものを口に入れなくなる。

　でもときには、よいものに誤ってむかむかしてしまうこともある。たとえば、バナナを食べて少したってからお腹が痛くなれば、体はそのバナナのせいでお腹が痛くなったものと判断して、つぎからはバナナのにおいを嗅ぐのもいやになったりするからね。

　また、むかむかするのがどんなものかを学ぶのは、いやな味や腹痛からだけじゃない。自分の親から学ぶこともある。もし親から、「鼻くそをほじって口に入れるのはやめて——むかむかするんだから」と何度も何度も言われれば、鼻くそを食べるのがむかむかすることなのだと思いはじめる。そして友だちが同じことをするのを見ると、こう叫ぶんだ。「気もちわる～い！　むかむかする！」

　歴史上のどの時代にも、おとなは子どもに一部の人たちはむかむかする人たちだと教えていた。裕福な親は自分の子どもたちに、よくこんなふうに言い聞かせた。「召し使いの子どもたちと遊んではいけませんよ。あの子たちは、きたなくて、くさくて、いろんな病気をもっているんです。ほんとうにむかむかする子どもたち！」

　　　　この言葉を繰り返し聞いているうちに、裕福な

家の子どもたちはほんとうに、召し使いの子ど
もたちに近づくとむかむかするのだと思いはじめる。そして小さい弟
が召し使いの子どもと遊んでいたり、その子たちとリンゴを分けあったりするの
を見れば、こう叫ぶかもしれない。「何をやっているの。ほんとうにむかむかする」
　でも、それだけですんだわけではない。人々はその反対の、清潔で美しいと
いう、新しい考え方も生み出したんだ。そしてそれを、じっさいには目にするこ
とができない魔法のような美しさだと説明した——それを見ることができるのは
神だけだ。人々はこれを「清い」と呼んだ。清い人々は、神々の目から見て美
しかった。そしてこれはもちろん、その反対の、醜い、きたない、くさいという新
しい考え方があることも意味していた。それはじっさいには嗅ぐことのできない魔
法のにおいだったけれど、神々だけにはわかったらしい。人々はそれを「けが
れ」と呼んだ。だれかが「けがれている」のは、偉大なる神々自身がそう考え
ているからだった。

　**清いかどうかを人間の目で見ることはできないし、けがれているかどうか
を人間の鼻で嗅ぐことはできない。**それならば、だれが清くて、だれがけが
れているか、どうやってわかったのだろうか。それにはただ自分の親と先生を
頼りにするしか方法はなく、親と先生は聖職者を頼りにし、聖職者は神々から
聞いたと言った。

　古代インドの聖職者は、すべての人々にこう言っていた。「バラモンは清くて、ダ
リットはけがれている。両者がいっしょにいれば、バラモンもけがれる。泥とほこりに
まみれた人とハグをすれば、自分にも泥とほこりがつくだろう。けがれた人とハグを
すれば、そのけがれの一部が、自分にもしみつくのだ」

　人々はこの言葉を何度も聞かされるうちに、それを信じるようになった。ダリット
がコップから水を飲んでいるところを目にしたバラモンは、そのコップから水を飲むと
考えただけでむかむかした。ダリットは、シャワーを3回あびて体じゅうをせっけんで
洗い、新しくて清潔な服を着ても、まだけがれているとみなされ、バラモンはダリッ
トが近づいてくるだけで、自分もけがれることをおそれた。

　同じような物語は世界じゅうのさまざまな地域で語られていて、**古代にかぎった話
でもない。**現代のアメリカでも、白人は長年のあいだ黒人がけがれていると信じ、

世のなかをよごす源だとみなしてきた。

　そのために、黒人は白人と同じレストランで食事をすることも、同じホテルに宿泊することも、同じ学校で勉強することも禁じられていた。また、黒人は白人と結婚してはいけないという法律まであった。黒人の若者が白人の若者をデートに誘うようなことがあれば、白人の人々は激怒して、それだけで黒人の若者を殺してしまうことさえあったんだ。さいわい、現代のアメリカ人のほとんどは黒人がけがれているというおそろしい物語を信じず、黒人の若者と白人の若者が恋に落ちれば、結婚して幸せに暮らすことができる。

　それでもまだ、**同じようなおそろしい物語がほかにも数多く残されている**。きみが暮らす国には、一部の人たちがけがれていて、くさくてきたないから、いっしょに遊んだりいっしょに何かを食べたりしてはいけないと言っている物語があるだろうか。

男の子と女の子

　すべての国にダリットのようなグループがあるというわけではない。それでも、どこの国にも例外なく、清いか、けがれているか、にまつわる不快な物語にいつも苦しめられてきたグループがひとつだけあった。このグループは、全人口の約半数を占めている。**それは、言うまでもなく、女の人のことだ**。

　世界じゅうのたくさんの場所で、たくさんの聖職者と学校の先生たちが、女の人には神々にきらわれる魔法のにおいがあると言った。聖職者たちは、神々はそのために女の人には話しかけさえしないのだと言い張ったんだよ。だから、清い男の人だけが神と話をすることができ、その神の言葉を人々に伝えることができた。

　そのせいで、女の人についての数多くの不公平なルールが正しいものとみなされ、そうしたルールはたくさんの国で、そのまま何千年ものあいだつづいてきた。そして一部の国には今もまだ残っている。**けがれているとみなされた女の人**は、聖職者になることも、神聖な書物を読むことも許されなかった。そんなことをすれば、神がいやな思いをすると信じられていたんだ。同じような理由で、女の人は学校で勉強することも、裁判官になることも、君主になることもできなかった。

　場所によっては、女の人はひとりで家を出ることさえできなかった。外に出たけれ

ば、お父さんかおじさんか、男のきょうだいにいっしょにきてもらわなければならなかった。お兄さんにいやだと言われたら、あきらめて家にいるしかなかったんだ。

こうして聖職者や君主になれず、ひとりで家も離れられなかった女の人は、何をすればよかったのかな——どんなことであろうと、男の人に言われたとおりのことをしなければならなかった。じっさい、いろいろな地域で、女の人は男の人の財産だというルールまであったんだ！

ヤギなどの動物が財産になり、一部の人間が奴隷になったのとだいたい同じころに、**女の人も財産になった**。娘は父親の財産で、女のきょうだいは男のきょうだいの財産で、妻は夫の財産だというルールが、たくさんの王国にあった。

女の子が男の子を好きになったとしてもデートはできなかった。デートの相手も結婚の相手も、女の子が自分で決めることはできなかったからだ。決めるのはその子のお父さんか、男のきょうだいということになる。

それなら、もし男の子が女の子を好きになって、結婚したいと思ったらどうするのかな？　うーん、それでもその女の子をデートに誘うことはなかった。その代わりに、その子のお父さんをデートに誘った。お父さんが結婚を認めてくれるように説得するためだ。<mark>なにしろお父さんがその女の子のもち主だったからね。</mark>結婚は自動車を買うのと同じようなものだった。きみが自動車を買いたくなったときには、その自動車を説得する必要はないね——説得する必要がある相手は、自動車のもち主だ。

では、男の子はどうやってお父さんに結婚を認めてもらったのかな？　たぶん、こんなぐあいだっただろう——「ヤギを10頭さしあげますから、代わりにあなたの娘さんを私にください！」もしお父さんがそれでいいと言えば、女の子の気もちは関係ない。その女の子が相手の男の子を好きじゃなくても、結婚しなければならなかった。

こうやって結婚した女の子は、もうそのお父さんの財産ではなくなった。こんどは結婚した相手である夫の財産になったからね。ヘブライ語のような古代からある言語の多くでは、**「夫」と「もち主」はまったく同じ単語になっている**。

それなら、親たちの多くが女の子より男の子を選んでも不思議はない。飢饉がやってきて、親が子どもに与える食べものが十分でなくなると、残ったわずかなパンを男の子だけに与え、女の子はおなかをすかせたままだった。

幽霊や税より こわいもの

　清い、けがれている、ということにまつわるこうした物語は、どれもほんとうのことではなかった。神にはわかって人間にはわからない魔法のにおいなど、あるはずがない。でも、物語がほんとうのことでなくても、効き目はあったんだ。それを聞いたたくさんの人々が、ただルールに従おうと思いさえすればよかったからね。

　では、そのような物語を、人々にどうやって信じさせたのだろうか？　大切な方法のひとつは、その物語を何度でも繰り返し聞かせることだった。物語を1回だけ話しても、それはただの物語にすぎない。でも同じ物語を1000回繰り返して話せば、人々はそれを、ほんとうのことにちがいないと思う。

　おとなたちが自分の暮らす王国の大きな物語をいつも信じていたのは、それを何度も聞いていたからだ。でも、子どもたちはどうかな？　子どもたちは、生まれたときには物語を何も知らない。だからおとなは、大きな物語を子どもに話してきかせることに、とくに力を入れたんだ。エジプトの子どもたちは「死者を食らう者」アメミットの物語を繰り返し聞かされたし、インドのおとなたちは「巨人プルシャ」の物語を繰り返し話してきかせた。

　おとなは子どもに、わざと嘘をついていたわけではない。古代エジプト、古代インド、そのほかのさまざまな王国では、おとなも

子どもにほんとうの話を聞かせていると信じきっていたのだから。おとなも自分自身が子どものころから何度も聞いてきたので、その大きな物語を信じきっていた。そしてそれを信じたのは、おとなには怪物よりも幽霊よりも、税よりも官僚よりも、もっとこわいものがあったからだ。おとなは、「知らないもの」がこわかった。そしてたいていの場合は、自分が何かを知らないことを正直に認めるより、風変わりな物語を話すほうがいいと思ったんだ。

物語を目で見る

そうやっておとなたちは大きな物語を語りつづけた。大きな物語を話しているとおとなは安心でき、だれかが自分の話す物語を疑えば、ひどくうろたえた。不安になったからだよ。

もちろん、言葉を使って物語を話して聞かせるだけでは、十分とは言えなかった。人々が何かを心から信じるには、**それが毎日の暮らしのなかで、じっさいに起きているのを自分の目で見てたしかめる必要があった**んだね。たとえばある日、ペピとその父親のケティが通りを歩いていると、ぼろをまとった奴隷がむこうから自分たちのほうにくるのが見えたとしよう。するとケティは奴隷をわきへ押しやり、大声でどなった。「道をふさぐな、きたならしいばか者め！」

しばらく行くと、こんどはまっ白な長い服を着た聖職者がやってくる。するとケティはその聖職者に「おはようございます、偉大なる神官どの！」と言って、ていねいに挨拶した。

するとそのとき、まわりを兵士に囲まれた立派な金色の馬車が近づいてくるのが目に入ったんだ。ケティは、「おー！　ファラオがやってくる」と叫び、ペピの腕をつかんで脇にとびのき、道にひれふした。そしてペピにこうささやく。「頭を上げてはいけないぞ。そして何が起ころうと、決して見上げるな！　だれもファラオの顔を直接見てはならないんだ！」

こうしてふたりが家に着くころには、ペピはエジプトの物語をすっかり理解していた。ファラオがてっぺんにいて、そのすぐ下に聖職者がいる。自分の家族はまんなかで、奴隷はいちばん下だ。それは単なる言葉ではなく、ペピが自分の目で見て、たしか

めたことだった。

右足から先に

　でも、ひとつ問題があった。どの物語でも、いちばん大切な部分が目に見えないし、じっさいに手でさわることもできなかったんだ。ペピも学校のほかの子どもたちも、ワニの悪魔をその目で見たことは一度もなかった。バラモンもダリットも、通りで巨人のプルシャに出会ったことはなかった。世界を創りあげた神々となると、みんないつもその話をしているものの、**その神々がほんとうにいること、ただの想像上のものではないことなど、知りようもなかった。**

　この問題を解決するために、王と聖職者たちは儀式を作りあげることにした。儀式では、人々がじっさいに見たりさわったりできるものを用いて、それが物語で耳にしていた想像上のものと同じなのだと信じられるようにしたわけだ。たとえば、ある聖職者が自分の都市で暮らす人々に、世界とすべてのルールを創りあげた偉大な神について話していたとしよう。でもその聖職者は、人々に神の姿を見せることはできなかった。それはわかるね？　それなら、物語のすべてを自分が作りだしたのではないと人々にわかってもらうためには、どうすればいいんだろうか。そう考えて、**聖職者はある儀式を行なうことにした。**

　その聖職者はまず、堂々とした寺院のなかに、すばらしく美しい神の像を置いたはずだ。そうすれば、こう言うことができる。「寺院にやってくれば、神に会うことができるであろう。しかし、そのためには敬意をあらわさなければならない。はじめに、体をすみからすみまで洗うこと──耳のうしろまでだ！　そして自分がもっているいちばん上等な服を身につけること。そして必ず神によい捧げものを持参すること」

　「どんなものを？」と、人々はたずねた。

　「たとえばパン。さもなければヤギ。さもなければ上等な布で作ったマントだ」

　「わかりました」と、人々は言った。「それならパンをもっていきます」

　「ちょっと待て。それだけで終わりではない

ぞ」と、聖職者は言った。「寺院の外で靴をぬぎ、はだしでなかに入ること。そして寺院には、必ず右足から先に入ること！　神に会う前に膝をつき、3回おじぎをして、特別な歌を歌うこと。それから立ち上がり、7歩前に進む。もう一度、膝をついて、こんどは7回おじぎをする。これを何度も何度も繰り返すんだ。けっして一度に7歩以上進んではならない。そうやって神の足もとにたどり着いたら、神の足にさわってもよい。ただし神の手や頭にさわってはならない！　それは禁じられていることだ！」

「うーん、かんたんではありませんね」と、人々は言った。「でも神に会えるなら、たいへんだけれどやってみる価値はあります。それで、神に話しかけてもよいのですか？」

「もちろんだ」と、聖職者は答えた。「神の足にさわったら、神に祈りを捧げ、なんでも好きなことをお願いしてよろしい。雨を降らせてくださいとか、病気をなおしてくださいなどだ。ただしそのそばを離れるときには、神に背をむけてはならないぞ。出口までずっと前をむいたままうしろに歩き、最後にまた膝をついてから1回おじぎをする。そして寺院を出るときには、右足から先に出ること。わかったな？」

このように複雑な指示のおかげで、人々は神のもとを訪問するのは、とびきり特別なことなのだと感じるようになった。 とうてい毎日はできなかったから、だれかが病気で神の助けがほしいときや、赤ちゃんが生まれて祝いたいときなど、何か大切なことがあると寺院に出かけたことだろう。

　小さい子どもたちがこうした儀式をすっかり理解するのは難しく、ときにはまちがえた。たとえば、耳のうしろを洗うのを忘れるとか、左足から先に入るとか、特別な歌の最中にクスクス笑ってしまうとか。でも、そのたびに親から叱られたせいで、子どもたちもやがて少しずつ、儀式の細かい部分まですべてを正しくやることがどれだけ大切なのかを、学んでいった。

何か別のもののように感じさせる力

　きみはこの話のいったいどこが重要なのか、不思議に思っているかもしれない。神の像は、金や銀でおおわれていただろうが、ただの木のかけらだった。たとえば、ごくふつうの椅子のような、木でできたほかのものとちがいはなかったんだ。でも、

椅子にすわるたびに耳のうしろを洗って靴をぬぐことはないし、椅子にむかって歌を歌うことだってないよね？

　それでも、このような儀式を何度も何度も繰り返しているうちに、神の像は椅子とはまったくちがうもので、とっても特別なんだと、みんな思い込むようになっていった。**そしてその像を目にし、その像にさわると、神の姿を見て神にさわっているように感じるようになった。**

　だから、神がほんとうにいるなんてどうしてわかるのかとだれかに聞かれると、こう答えた。「何を言ってるんだい？　ぼくは昨日だって寺院の神さまのところに行って、長いこと話をしてきたんだよ。それに神さまはぼくの願いも聞き入れてくれた！　雨を降らせてくださいってお願いしたら、ほら、雨が降ってる！」

「そうか、私は先週、寺院に行って息子の病気をなおしてくださいってお願いしたけど、息子はまだ病気のままだ」

「うーん。きみはたぶん、何かをまちがえたんだよ。左足から先に寺院に入ったんじゃないかな？」

　それが儀式の力だ。儀式の力によって、**人々はあるものを、何か別の種類のものだと感じるようになる。**金でおおわれた木のかけらが、宇宙全体を創り上げた神のようなものになる。

旗とシャツ

　寺院にある木のかけらが神のようなものだと信じるなんて、ばかげていると思うかもしれないけれど、きみもたぶん儀式をしている——だれでも同じだ。人の儀式を笑うのはかんたんでも、知らない人がきみの儀式を笑ったら、きみはきっと腹を立てるにちがいない。

儀式は、私たちが地域社会をまとめていくための大きな物語を信じるのにひと役買い、それは古代と同じように現代でもなお重要なものだ。たとえば今日、多くの国の人々が自分の国の国旗にとても強い感情を抱いている。国と神に共通しているのは、見ることもさわることもできない点だ。そこで、古代の人々がだれでも神を信じられるようにと像を作ったのと同じように、現代人はだれでも自分の国を信じられるようにと、国旗を作っているんだね。

　世界の国々には、それぞれ独自の国旗がある。これまで何世紀にもわたって、国旗にはさまざまな色や形のものがあったけれど、現在ではどれもとてもよく似ている──長方形の布に、色とりどりの縞模様や星、多彩な幾何学模様が描かれたものだ。国旗はシャツと同じようなありふれた布で作られているのに、**国民は自国の国旗を特別なものと感じられるように、さまざまな儀式を行なう。**国によっては、毎朝国旗を掲揚する学校もあって、1時間目がはじまる前に生徒全員が校庭に集合する。そして国旗がのぼっていく様子を見つめ、敬礼し、歌を歌うこともある。

　学校、警察署、スポーツスタジアムのような重要な建物にも国旗を掲げる。家の前に掲げている人もいる。国家代表のサッカーチームがワールドカップで優勝するような、何か大事なことがあったときには、みんなが国旗を振る。兵士が戦地にむかうときには、国旗を身につけていくことが多い。たくさんの兵士が、国旗を敵の手にわたすまいとして命を落としてきた。

　こうしたことを何度も何度も繰り返すうちに、人々はこの布切れがほんとうに特別なものだと感じはじめる。そのカラフルな布を見ていると、自分の国を見ているような気もちになれるんだね。

ほとんどの人には、ごく個人的な儀式もある。たとえば、きみは自分だけのラッキーシャツをもっているかもしれない。ほかのシャツと同じ布でできているのに、自分にとっては特別なシャツだ。いつも決まった引き出しに入れておいて、めったに着ない。何か特別なときのために、とっておく。

　難しい算数のテストがあるときには、前の晩にラッキーシャツを取り出す。そして

それを着るときは、いつも右手が先だ。もしまちがえて左手を先に入れてしまえば、すべてが台無しになる！　そのシャツを着ながら、いつも短い歌を歌う。もしかしたら、洗うのは日曜日だけと決めているかもしれない。ほかの日に洗うと、幸運が少しだけ、はがれ落ちてしまうからだ。

　そうやって算数のテストを受け、とっても点数がよければ、こう考える。「やっぱりシャツの効果だ！　じつに強力なんだから！」でももし点数が悪ければ、こう考える。「まったく！　まちがえて左手を先に入れちゃったんだな、きっと。さもなければ歌のどこかをまちがえたんだ。お父さんが月曜日に洗っちゃったのかもしれない。もっと注意して見ていなければだめだ」

　これを何度も何度も繰り返しているうちに、そのシャツはただのシャツではなくなってしまう。 とっても特別なものに感じられるからね。盗まれたり破かれたりしたら、きみはきっと、うろたえてしまうだろう。

3種類の
もの

古代エジプトでも、きみが今暮らしている国家でも、たいていの場合は儀式と物語に頼って国のルールを維持してきた。物語がなければ古代王国も近代国家も存在することはできなかった。じっさいのところ、最も奇妙なのは、王国と国家が物語そのものだという点だ。古代エジプトは、ペピとケティとファラオと聖職者と農民、そのすべてが信じた物語だった。**近代国家も物語だ。** きみの国は、きみと、きみの親、友だち、近所の人たちが信じている物語なんだよ。

国が物語だなんて、認めるのは難しいね……でも、ほかの何ものでもありえないんだ！

世界には3種類のものがある。ひとつずつ見ていけば、国家はどの種類かがきっとわかるだろう。

まずは、**だれでも見て、聞いて、さわれるもの**だ。たとえば、石、川、山などがある。王国と国家はここには入らない──見ることも聞くこともさわることもできないからね。たとえば、現代の強大な国家、アメリカ合衆国について考えてみよう。まず、聞くことはできない。国家は音を出さない。ウシはモーッと鳴き、イヌはワンワンと鳴くけれど……アメリカ合衆国が出す音はない。

国家を見ることも、さわることもできない。アメリカ国旗なら見ることもさわることもできるけれど、それは13本の線と50個の星が描かれた、ただのカラフルな布切れにすぎないからね。

アメリカ合衆国は、その国土のことだという人がいるかもしれない。たしかにその土地を見ることはできるし、大地を吹きわたる風の音を聞くこともできる。偉大なるミシシッピのような川で泳ぐことだってできる。でも、国土はアメリカ合衆国ではないんだ。北アメリカ大陸は2億年前に生まれた。人類がそこで暮らしはじめたのは、

約 1 万 5000 年前にすぎない。人類が到着したあとも、何千年ものあいだアメリカ合衆国はなかった。その大地にはスー族などのたくさんの先住民の集団が暮らし、カホキアのような古代都市があった。

カホキアの市民はたしかにその大地を目にし、風の音を聞き、ミシシッピ川で泳いだ——それでも、アメリカ合衆国と呼ばれる国のことなど聞いたこともなかった。

アメリカ合衆国の建国は、わずか 250 年前のことだ。それにその時点では、ミシシッピ川はまだそこに含まれてもいなかった。もしかしたら、何百年もあとにアメリカ合衆国がなくなっているようなことがあるかもしれないけれど、大地はまだそのままで、風が吹きわたり、ミシシッピ川は何百万年も流れつづけるだろう。

だから、現代のアメリカ合衆国、古代エジプト、そしてそのほかのすべての国家は、大地や川のように、だれもが見て、聞いて、さわることができるものではない。

自分だけが感じられるもの

世界にある 2 番目の種類のものは、**自分は感じることはできても、ほかのだれも見たりさわったりできないもの**になる。それはきみの心のなかにあるものだ。

わかりやすい例として、痛みをあげることができる。きみがテーブルにつま先をぶつけて痛いと思ったとき、その痛みを感じるのは自分だけなんだ。テーブルは痛みを感じていないし、きみのお父さんだって感じない。きみが「痛いっ!」と大声をあげれば、お父さんは何が起きたかたしかめるために近づいてくる。そうしたらきみは、「つま先が痛いんだ」と説明しなければならない。お父さんはその痛みを感じないからね。そしてお父さんが病院に連れていってくれたとして、お医者さんもその痛みを感じない。だから、「まだ痛いの?」と質問する必要がある。こうして、自分の痛みを感じられるのは、世界じゅうできみひとりということになる。

夢も、自分の心のなかにあるものの、もうひとつのよい例だ。自分の夢を経験できるのは自分ひとりしかいない。きみが眠りながら手を振っ

ているところを、お姉さんが見たとしても、きみが夢のなかで泳いでいるのか、飛んでいるのか、オーケストラを指揮しているのか、わかるはずがないよね。

とても小さい子どもは、想像のなかで友だちを作ることがある。自分だけが見て、声を聞ける友だちだ。もしかしたらきみの妹にもそんな友だちがいて、たとえばゴーゴーなんていう名前をつけているかもしれないよ。妹はゴーゴーといっしょに遊ぶけれど、もしその友だちがいるって信じるのをやめれば、友だちは消えてしまう。ほかのだれも、その子を見たり、その子の声を聞いたりすることはできないからだ。

古代王国や近代国家は、痛みや夢や想像上の友だちともちがう。きみが自分の国を信じるのをやめても、ほかの何百万人もの人たちがまだ信じているから、国が消えることはない。

共通の夢

それならば、国家って、いったい何だろう？　ミシシッピ川のように、だれもが外部から見たり感じたりできるものではない。夢のように、ひとりの人だけが自分の心のなかで見たり感じたりできるものでもない。

それは3番目の種類のもの、共通の夢なんだ──**国家は、たくさんの人々がいっしょに見ている夢だ**。そしてこの共通の夢は、物語を語ることによって作りだされた。きみが100万人の人にむかって物語を語り、人々がその物語を信じれば、みんながいっしょに夢を見る。

こうした共通の夢を、だれかひとりの人が信じるのをやめたとしても、あまり大きな変化は起きない。けれども何百万もの人々が信じるのをやめれば、その夢は消え失せる。

共通の夢の例としてあげられるのは、王国や国家だけではない。たとえば神やお金など、ほかにもたくさんある。ここではお金について考えてみることにしよう。1ドルって、いったい何だろう。ドルは共通の夢ではなくて、じっさいに見ることができ、さわることができるものだと思うかもしれないね。なにしろ1ドル札は、手にもって、目で見て、さわって、においを嗅ぐこともできるんだから。それでも、それはただの

印刷された紙切れで、現実的な価値をもってはいない。おなかがすいたって、**1ドル札を使ってパンを焼くことはできない**。のどがかわいたって、1ドル札からジュースはしぼれない。

　それならどうして、お店に行って店員さんにこの紙切れをわたすと、店員さんは喜んで小麦粉やくだものを手わたしてくれるのかな？　それを使えば、じっさいにパンを焼いたりジュースをしぼったりできる。それは、この紙切れには価値がある——1ドルはくだもの1個の価値をもつ——という物語のおかげなんだ。**お金の物語は、世界じゅうでいちばん大切な物語のひとつに数えられる**。何百万人という人々が信じているから、この紙切れがじっさいに価値をもつんだよ。お札を使えば、くだものから宇宙船まで、ほとんど何でも買うことができる。

　もし1軒のくだもの屋さんが急にドルを信じなくなって、支払いにドル札を受け取らなくなったとしても、それほど困ることはない。ほかの何百万人もの人たちが、まだ信じているからだ。ただその隣の店に行ってくだものを買えばすむ。でももしみんながドルを信じなくなったら、ドルはすっかり価値を失ってしまうだろう。お札を手にもち、それが100万ドルでも、くだものをひとつ買うこともできない。その100万ドルの使い道は、せいぜいトイレットペーパーくらいしかなくなる。

とっても長い夢

　ドル、アメリカ合衆国、古代エジプトのようなものが夢だからと言って、大切なものではないということにはならない。じっさい、こうした共通の夢は世界じゅうで最も重要で強力な存在に数えられるんだよ。これらのおかげで人類は力をあわせて働くことができ、都市や橋や学校や病院を作れるわけだからね。

　これらの夢はとっても長いあいだ、何千年にもわたってつづくことがある。人は死んでも、その子や孫たちが同じ夢を見つづけ、その夢は生きつづけるからだ。**私たちはみんな、死んだ人々の夢のなかで暮らしている**ともいえるだろう。私たちが使っているお金、私たちが住んでいる国、私たちが信じている神々を最初に夢に見たのは、すでに死んでしまった過去の人々だ。そして私たちは今、新しい夢を見はじめることもある。だからいつの日か、私たちがこの世を去ったときには、別の人々が私たちの夢のなかで暮らしつづけることになる。

人はなぜ戦争をするのか

　こうした夢と物語はすべて、とても大きく役立つことがある。もし人々が物語を語らず、みんなで夢を見ることがなかったとしたら、私たちの世界はまったく異なるものになっていたはずだ。見知らぬ人どうしは協力することができず、人類はおそらく今でもアフリカのサバンナで暮らす、取るに足らない動物にすぎなかっただろう。古代の王国の人々は堤防も貯水池も穀倉も作ることができず、今の世界には国家も学校も病院もなかった。自動車も飛行機もコンピューターもなかった。

　ただし、夢と物語にはとても危険な側面もある。たとえば一部の国で見られるような、男の人のほうが女の人よりすぐれているとか、バラモンのほうがダリットよりすぐれているといった、不公平なルールを正当化してしまうことも多いからだ。ときには人々が物語を熱狂的に信じるあまり、それだけの理由で戦争に行き、何百万人もの人々を死なせてしまうことまである。

　きみは、なぜ世界にはこれほど戦争が多いのか、不思議に思ったことはないだろ

うか？　ほかの動物たちはたいてい、食べものやテリトリーをめぐって争いを繰り広げる。たとえば、おなかをすかせた何頭かのチンパンジーがイチジクの木から実をとりたいと思ったのに、その木に近くのチンパンジーの集団がいるのを見つけたなら、その集団を襲い、殺してしまうことさえあるかもしれない。人類も食べものやテリトリーをめぐって争うけれど、それだけが理由のことはめったにない。**歴史上の多くの戦争は、物語をめぐる争いだった。**

　1000年ほど前、ヨーロッパのキリスト教の聖職者たちが、とても恐ろしい物語を語った。自分たちはキリスト教の偉大なる神からメッセージを受け取ったと主張したんだ。「神は世界のどの町より、エルサレムの町を愛しているとおっしゃっている」と、聖職者たちは説明し、つぎのようにつづけた。「そしてこの町がキリスト教徒ではなくイスラム教徒によって支配されていることに、とてもお怒りだ。そのために神は、キリスト教徒が中東に遠征し、エルサレムの町を征服することを望んでおられる。この戦争でキリスト教徒が命を落とすことがあれば、神は喜んで天国に迎え入れ、そこで永遠に喜びをもって生きつづけられるようにすると約束された」

　でも一部の人たちは、この奇妙な物語がたしかなものだとは思えなかった。「ちょっと待ってください」と、ひとりの年老いた女の人が言った。「神はこの世界全体をお創りになったのですよね？」

　「もちろん」と、聖職者たちは答えた。

　「そして、神はなんでもお望みのことを、なさることができるんですよね？」

　「そのとおり」

　「そして、神はエルサレムをお望みになっている」

　「そのとおり」

　「それならば、なぜ神はご自分でそこを征服なさらないのでしょうか。なぜ、平凡で弱い人間の助けを必要となさるのでしょうか？」

　「さて、それは」と、聖職者たちは言った。「神はほんとうに、とても賢いお方だ。これは人々を天国に迎え入れるための計画である。神はほんとうにエルサレムをほしいと思われているわけではなく、人々に天国への道を与えたいだけなのである」

　「納得できません」と、女の人は食い下がった。「もし神が天国に多くの人々を迎え

入れたくなったなら、だれがそれをお止めするでしょう。神はなぜこの戦争を必要となさるのでしょうか？　神が何でも好きなことをなされるのなら、なぜ最初からみんなを天国に連れていかれないのでしょうか？」

　聖職者はその質問に対して、よい答えを思いつかなかったから、女の人にこう伝えた。「神はとても、とても、賢いお方なのだから、おまえに神を理解することなどできるはずもない！　難しい質問などするのをやめて、ただ神のおっしゃるとおりにするのだ……さもなければ、やがて地獄行きになる」

　　　その女の人とはちがい、**ほとんどの人々はただ言われたことを信じ、**多くはエルサレムを征服するためにはるばる中東の地まで進んで行ったんだ。戦争はとても長いあいだつづき、何百万人もの人々が命を落とすことになった。そしてこの「十字軍の遠征」と呼ばれる悲惨な戦争は、すべて物語のせいで起きたものだった。

魔法を
解く

　十字軍の遠征はもう何百年も前に終わった。今ではキリスト教徒のほとんどが、自分たちの祖先がどのようにしてあの奇妙な物語を信じ、そのために自ら進んで戦争にむかったのか、理解できないでいるんだ。じっさいには、祖先がこのような戦争をしたことを恥ずかしく思っている。

物語の力がどれほど強かろうと、どれほど多く
の人々がそれを信じようと、**私たちはいずれ、それがただの物語にすぎ
ないと気づくことができる。**死んだ人々の夢のなかに閉じ込められて
いるかもしれないが、出口は必ずある。

　物語は道具だ。それはとても役に立つこともあるけれど、もし何かの
物語が人々を助けるのではなくみじめにしているなら、変えればいい。

　だから、何か重要で複雑なものごとについて物語を語る人がいるとき
には、ひとつの大切な質問を問いかけることを忘れてはいけないよ。「こ
の物語のせいで苦しむ人はいないか？」そしてもし、物語が多くの不要な
苦しみを引き起こしていることに気づいたなら、自分たちの物語を語るスー
パーパワーを利用して、その物語を変更しなくてはいけないね。

　**人々がとても長いあいだ信じてきた物語でも、ほんの数年で変えるこ
とができる。**たとえば、十字軍の物語を語ったのと同じキリスト教の聖職者
は、愛についての物語も語った。「神は、男の子と女の子のあいだの愛情は
すばらしいものだとおっしゃっている。けれども、男の子が別の男の子と恋に
落ちることがあれば、女の子が別の女の子と結婚したいと考えれば、神はひ
どくお怒りになる。男の子はボーイフレンドをもつべきではないし、女の子は
ガールフレンドをもつべきではない。それはけがらわしいものだ！」

　人々はこの物語を何百年ものあいだ信じてきた。あまりにも強く信じ
ていたから、自分の息子や娘が同性愛者だとわかると激怒した。なかに
は子どもを殴ったり、家から追い出したりする親もいた。そして、**子どもが恋に落
ちた相手が不適切だからという理由だけで、**その子どもを殺してしまった親さえいる。

　まるで邪悪な魔法使いが、その親たちに強力な魔法をかけてしまったかのようだ
った。親が自分の子どもを捨てたり殺したりする事態に、ほかの説明などあ
りうるだろうか。そしてその魔法は、けっして解けないかのように見えた。

　けれどもその後、何人かの勇敢な人たちが物語を語るスーパー
パワーを繰り出してその魔法に抵抗し、古い物語に疑問
を投げかけた。「もしふたりの男の人が恋に落ちたとし

て、もしある女の人が別の女の人と結婚したいとして、それの何が悪い？　彼らはだれも傷つけたりしていない。もしも雲の上に偉大なる神がいるとしても、神が罰するのは、残酷、暴力、憎しみといった悪事にかかわる人々だろう。なぜ善良なる神が、愛のような善良なことでだれかを罰することがあるのか。理にかなっていない」

　人々が何世紀にもわたって同性愛は悪いことだと信じてきたあと、**その魔法を解いて人々の心を変えるまでに、たった 20 年ほどしかかからなかった**。もちろんかんたんなことではなかったし、とても大きな勇気が必要だった。

　この魔法を解くのにひと役買った人物に、10 代のアメリカ人、アーロン・フリックがいる。彼はロードアイランド州カンバーランドの小さな町で育ち、その町の人々は同性愛者であることはむかむかして、不潔で、不道徳なことだと信じていた。だからアーロンは自分が同性愛者であることをだれにも打ちあけられず、親やきょうだいにさえ言えなかった。一生ひとりぼっちですごすのを恐れていたからだ。

　そんなとき、彼は同じ学校の別の生徒で、やはり同性愛者であるポールという少年に出会う。そして学校で恒例の春のダンスパーティーが開催されることになったとき、**アーロンは勇敢な行動に出た**。ポールにダンスパーティーのパートナーになって

ほしいと頼んだんだ。アーロンはこのことで一部の子どもたちにいじめられたし、校長はポールといっしょにダンスパーティーに行くことを許さなかった。そこでアーロンは校長を訴え、法廷で争うことにした。やがて裁判官は、アーロンとポールがほかのカップルと同様、ダンスパーティーに行く権利をもつという判決を下した！

　これは1980年のできごとで、とても大きなニュースとして伝えられると、テレビもラジオも新聞も一般の人々も、アメリカじゅうがこの話題でもちきりになった。でも今ではアメリカのほとんどの場所で、ふたりの男の子がデートすることなどまったく報道されることはない。アーロン、そして彼と同じような人たちのおかげで、ようやく異常なものとされなくなったんだね。

　イランやウガンダなど、今でも同性愛者の人たちが罰せられる国は一部にまだある。ロシアの子どもたちは、アーロンとポールのような同性愛者の人々について書いた物語を読むことを禁じられている。ということは、もしきみがロシアの子どもなら、**この本を読むこともできないわけだ！**　それでも、かつては男の子がボーイフレンドをもつことと女の子がガールフレンドをもつことを禁じていたほとんどの国々で、そうしたルールは廃止されている。スウェーデンから南アフリカまで、数多くの国々で男の人どうしも女の人どうしも結婚することができるようになった。アーロンとポールに起きたことを振り返ると、ほんの数十年前にはそんな非常識で有害な物語をほとんどの人たちが信じていたことに、驚かされるばかりだ。

女の人たちの物語

　この何年かで変化した最も大きな物語は、おそらく女の人をめぐる物語だろう。何千年にもわたって世界じゅうの人々が、女の人は男の人より劣るから、聖職者にも学校の先生にも君主にもなれないと信じていたんだ。もし女の子が、「女の人にはこれができないって、どうしてわかるの？」とたずねれば、人々はこう答えていた。「そうだね、自分のまわりを見てごらん。女の人の聖職者も教師も君主もいないだろう？そのことが、女の人はけがれていて、愚かで、弱々しいという何よりの証拠だ！」

　「でも、そんなのおかしい」と、女の子は反論した。「女の人の聖職者も教師も君主もいないのは、**そういうことをさせてもらえないから**だよ。女の子が学校に行くこと

さえ許されないのなら、どうやって女の人が先生になれるっていうの？」

　残念ながら、そんなことが何千年もつづいてきたんだよ。たとえばエジプトのクレオパトラやロシアのエカチェリーナ2世のように、あちこちでわずかな数の女の人が君主に、そして学校の先生や聖職者になっていたものの、**そうした人たちはまれな例外だった。**

　現代になっても、まだ女の人が聖職者になることを認めない宗教は数多くあり、女の人はけがれていると主張している。それでもほとんどの地域ではようやく変わりはじめ、今では女の子も男の子と同じように学校に通うようになった。女の人の学校の先生も、大学の教授も、裁判官もいる。女の人が大統領や首相になり、**男の人たちと同じように国を動かせること**を証明してもいる。

　女の人の物語を変えるために、これまでに世界じゅうのたくさんの人たちが、たくさんの勇敢な行動を起こしてきた。そのひとりに、パキスタンのミンゴラの町で1997年に生まれたマララ・ユスフザイがいる。マララが11歳のとき、彼女の暮らす町がパキスタン・タリバン運動（TTP）と呼ばれる過激派組織に襲われた。

　TTPの信条のひとつに、神は男の子を女の子よりすぐれたものとして生み出し、もし女の子が学校に行くと激怒するという考えがある。そのためにTTPはミンゴラの女の子たちが学校に行くことを禁じ、女の子を受け入れていた100以上の学校を爆破してしまったんだ！

　それでもマララは勉強が大好きだったから、身の危険を感じながら学校に通いつづける決心をした。それと同時に、TTPに反対する声も上げはじめた。自分の日常生活についてブログを書き、のちには新聞のインタビューを受け、テレビにも出演している。そんなときには、女の子も学校に行くことを許されるべきで、女の子が勉強することを禁じる神はいないと主張した。それは怒りをもった男の人たちが作りだした物語にすぎなかったからだ。そして、**女の子が男の子より劣ることは何もなく、女の子も学校の先生や医師になれば、みんなの助けになる**と言った。

　マララのこのような行動は、信じられないほど勇敢なものだった。命の危険をおかしながら、人々にこう訴えつづけたんだよ──「ひとりの子ども、ひとりの教師、1冊の本、1本のペンがあれば、世界を変えられる」

　マララが15歳になったある日、彼女の乗ったスクールバスをひとりの男が止めると、マララに近づいてその頭を銃で撃ちぬいた。世界じゅうの人々がこの襲撃にショック

を受け、回復を祈った。マララは世界で最も有名な 10 代の女の子のひとりになっていた。その後、女の子も学校に行かせるよう求める嘆願書に 200 万人を超えるパキスタンの人々が署名したことで、国の議会がこれを法律で定めている。

　やがてマララは負傷から回復し、世界じゅうを旅してあらゆる場所の女の子たちが教育を受けられるように手助けをはじめた。自分のそれまでの人生について書いた本はミリオンセラーになった。アメリカ大統領をはじめ、数多くの重要な指導者たちからも招待を受けて会談した。そして 17 歳という若さで、ノーベル平和賞という世界に広く名を知られた栄誉ある賞を受賞し、これまでで最も若いノーベル賞受賞者になった。

　マララのような人々のおかげで、**世界のほとんどの国で女の子も男の子と同じように学校に通えるようになっている**。もっと重要なのは、今では女の人に関する古い物語がすべて誤りだったと明らかになったことだ。そうした物語は、まったく意味をなさないものだったんだよ。なぜこんなおかしな物語を何千年ものあいだ、これほど多くの人々が信じていたのかということこそが、ほんとうに大きな問題だね。

よく聞いて

物語は人類が生み出した最も偉大な作品だ。私たちは物語のおかげで世界を統治できている。物語のおかげでチンパンジーよりも、ゾウよりも、イヌよりも強くなった。だが物語は、私たちの最大の敵にもなりうる。もしも自分で物語を作りだしたことを忘れれば、自らがそれにとらわれてしまうだろう。**何百万人もの人々が悪い物語を信じるとき、まるで悪夢で身動きがとれないように逃れられなくなる。**だから人類は大きな問題を抱えている。もし私たちが耳にした物語を何も考えずに信じるなら、学校に行きたいだけの女の子を銃で撃ったり、不要な戦争で何百万人もの人々を殺したりと、おそろしい行動をとりはじめることになる。一方、もし私たちがすべての物語を信じるのをやめたら、世界は完璧なものになるのではなく、無秩序な混乱に陥る。

この問題にかんたんな答えはない。きみたちはおとなになるにつれ、たくさんの物語を耳にするだろう。そしておとなになる過程のとても大切な部分は、どの物語を残し、どの物語を変え、

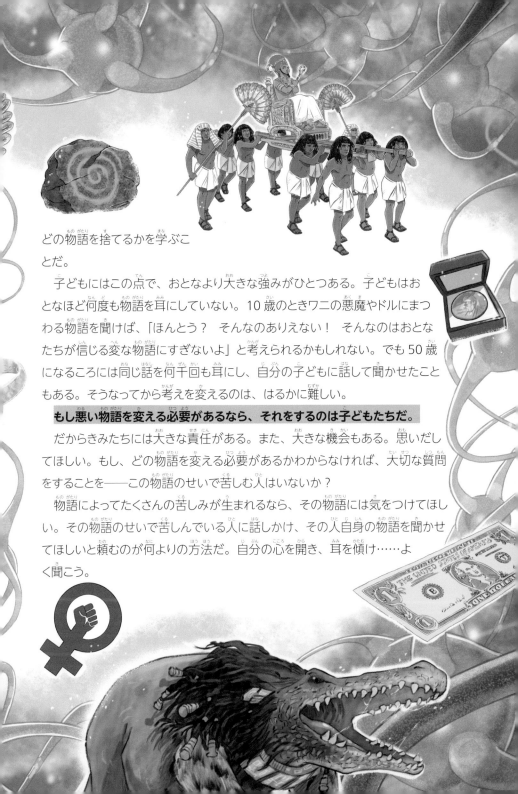

どの物語を捨てるかを学ぶことだ。

　子どもにはこの点で、おとなより大きな強みがひとつある。子どもはおとなほど何度も物語を耳にしていない。10歳のときワニの悪魔やドルにまつわる物語を聞けば、「ほんとう？　そんなのありえない！　そんなのはおとなたちが信じる変な物語にすぎないよ」と考えられるかもしれない。でも50歳になるころには同じ話を何千回も耳にし、自分の子どもに話して聞かせたこともある。そうなってから考えを変えるのは、はるかに難しい。

もし悪い物語を変える必要があるなら、それをするのは子どもたちだ。

　だからきみたちには大きな責任がある。また、大きな機会もある。思いだしてほしい。もし、どの物語を変える必要があるかわからなければ、大切な質問をすることを——この物語のせいで苦しむ人はいないか？

　物語によってたくさんの苦しみが生まれるなら、その物語には気をつけてほしい。その物語のせいで苦しんでいる人に話しかけ、その人自身の物語を聞かせてほしいと頼むのが何よりの方法だ。自分の心を開き、耳を傾け……よく聞こう。

異なる物語が
出会うとき

　さてこれで、世界がいつも公平とはかぎらない理由がわかったね——そして、ほかにもたくさんのことがわかったはずだ。学校にはなぜ試験があるのか、泥遊びがどんなふうに歴史を永遠に変えたのか、なぜおとなは税をこわがるのかも。そしてイヌが人間の最良の友になった様子も、**計画がたいてい思いどおりにはいかない**様子も、アリに似た人間とキリギリスに似た人間がいることも。骸骨の声を聞く方法も、だれが最初の詩人かも、どんなワニがブレスレットと黄金のイヤリングをつけていたのかも。どうやって一部の人間が王さまになり、ほかの人たちは奴隷になるしかなかったのかも。なぜファラオのアクエンアテンのような人物が、100万人の人たちに何をすべきか命令するようになり、なぜほかのみんなは、ファラオの言うことに従いはじめたのかも。

　こうした不公平な取り決めは、植物や動物に関係していることもわかっただろう。何百万年ものあいだ、**私たちの祖先は小さな集団で暮らし、何かを支配しようとすることはほとんどなかった**。それらの祖先は植物を集め、動物をとらえていたけれど、植物や動物に何をすべきか命令することはなかった。そしてひとりの人間がほかのすべての人間に、何をすべきか命令することもなかった。

　ところが過去1万年のあいだに、人類はどんどん大きい都市と王国を作りはじめ、ますます傲慢になっていった。人類は植物や動物を支配する方法をおぼえ、一部の人たちがほかのすべての人たちを支配する方法をおぼえた。

　そしてそのすべては物語によって可能になったこと、その物語もどんどん大きく、複雑になっていったこともわかったはずだ。小さい集団は小さくて単純な物語でうまくいったけれど、**大きい王国には大きくて複雑な物語が必要になり**、死者を食らう悪魔、太陽の目をもつ巨人、神々だけが嗅げる魔法のにおいなどが登場した。人々はアクエンアテンのような偉大な王の命令に従い、とっても不公平なあらゆる種類のルールを守ったが、それは人々が信じた物語のせいだった。

　そしてそれらの物語は国ごとに異なっていた。エジプトの人々がエジプトのルールに従ったのは、エジプトの物語を信じていたからだ。インドの人々がインドのルールに従ったのは、インドの物語を信じていたからだ。中国の人々はまったく異なるルールと物語をもち、日本の人々もまた異なるルールと物語をもっていた。

　それならば、エジプト人がインド人に出会ったとき、中国人が日本人に出会ったとき、いったい何が起きたのだろうか？　**異なる場所の人たちはどうやって、何かに同意できたのだろうか？**　外国人は自分たちが信じる物語を見つけたのだろうか？　それとも、みんないつも戦ってばかりいたのだろうか？

　今では、世界じゅうのほとんどどこにでも旅をすることができ、どこに行ってもルールの多くは同じだ。人々はどこにいても同じルールに従ってサッカーをする。人々はどこにいてもお金を使ってくだものを買える。人々はどこにいても赤信号で止まる。どうやってこうなったのかな？　ほんのいくつかの物語とルールが、どうやって地球全体に広まったのかな？

　それはまた、まったく別の物語だ。

感謝のことば

1冊の本には何人の「親」がいるのだろうか？　その答えはひとり、つまり著者、またはふたり、著者とイラストレーター、だと思うかもしれない。けれどもじっさいにはとってもたくさんの人たちの力を得て、ようやくこの本を誕生させることができた。それは本の表紙に印刷されている名前だけではない。

さまざまな場所にいる数多くの人たちがこの本のために力をつくし、私ができなかったこと、そして私がやり方さえ知らなかったたくさんのことを、的確に進めてくれた。彼らの力がなければ、『人類の物語 Unstoppable Us』は誕生しなかっただろう。

何人かの人たちは正しい事実が書いてあるかどうかを調べなければならず、古代のイヌから古代の神々まで、あらゆることの学術論文を、何か月もかけ読み通してくれた。この本のひとつひとつの文が伝える正確なメッセージについて、深く考えてくれた人たちもいる。それは歴史について読者にほんとうに伝えたいことなのか？　誤解を生む表現になってはいないか？　だれかを傷つけたりはしないか？　さらに文体をチェックしてくれた人たちもいる。文の意味ははっきりわかるか？　もっとはっきりした表現にできないか？さらに絵について話しはじめれば、きりがなくなる。この本のなかのいくつかの絵は、物語にピッタリだと思えるまで、10回も描きなおして色をつけなおさなければならなかった。

そんなわけで、たったひとつの文を書くためにも、たったひとつの絵を描くにも、たくさんのEメール、電話、ミーティングが必要になった。それにそのEメールと電話とミーティングをすっかり調整してくれる人も必要だった。さらに契約書の署名、給与の支払い、そして食べるものの調達も忘れてはいけない。何も食べずには、だれも何もできないからね。

この本を作り上げるために力を貸してくれ、私と共同で「親」になってくれたすべての人々に、感謝の言葉を捧げたい。みんなの力がなければこの本が完成することはなかった。そしてみんなの貢献によってこの世界の公平さが少しだけましたことにも感謝している。

リカル・ザプラナ・ルイズは、どれを見ても美しい絵を描くことによって、この本に書かれた人類の歴史に生命を吹き込んでくれた。

ジョナサン・ベックは、このプロジェクトをスタートの一歩から支え、実現に力を貸してくれた。

スザンヌ・スタークとセバスチャン・ウルリッヒは、若い人の目で世界を見ることを私に教え、私が自分でできると思っていたよりもなおわかりやすく、はっきりした、深い表現ができるように手助けしてくれた。ふたりは、1語1語をていねいに何度も読み直して、身近でわかりやすい物語を語りながらも科学的な正確さを失っていないことを確認してくれた。

そして、ホームチームであるサピエンシップのみんなの創造性、プロ意識、勤勉な努力によって、この本を生みだすことが可能になった。チームを率いてくれたのは、熱心で聡明なCEOのナーマ・アヴィタル、そしてチーム・メンバーは、ナーマ・ヴァルテンブルク、アリエル・レティック、ニーナ・ズィヴィ、ジェイスン・パリー、ハンナ・シャピロ、シェイ・エイベル、ダニエル・テイラー、マイケル・ズール、ジム・クラーク、ジチャン・ワン、コリーヌ・ドゥ・ラクロワ、ドール・シルトン、グアンユー・チェン、ナダヴ・ノイマン、トリスタン・マーフ、ガリエト・カツィール、アナ・ゴンタール、チェン・エイブラハム。また、C・H・ベックのフリーデリーケ・フレッシェンベルク、才能豊かなコピー・エディターのエイドリアナ・ハンター、多様性コンサルタントのスラヴァ・グリーンバーグ

のサポートにも感謝している。チーム・メンバーのすべて、ひとりひとりが、このプロジェクトに力を貸してくれた。

また、母のプニーナ、姉妹のエイナットとリアト、姪と甥のトメル、ノガ、マタン、ロミ、ウリにも、それぞれの愛と支えに感謝している。そして、この本のシリーズを執筆しているあいだに100歳で世を去った祖母のファニーの限りないやさしさと喜びは、これからもずっと大切な私の宝物だ。

最後に、アンストッパブルな夫のイツィクに、感謝の言葉を捧げたい。長いあいだこの本を作ることを夢に見て、この本の作成をはじめとしたさまざまなプロジェクトを実現させるためにサピエンシップを私と共同設立し、21世紀になってからずっと私にひらめきを与えつづけてくれている、すばらしい相棒だ。

——ユヴァル・ノア・ハラリ

きょうだいのハビエル、ホルヘ、カルロス、そして両親のイサベルとフランシスコに、この本を捧げたい。

私の仕事仲間であるすべてのホモ・サピエンスのみなさん、知識と友情を共有してくださって、ほんとうにありがとう。

サピエンシップを構成するプロフェッショナルのみなさんには、この本を作るあらゆる段階で手助けと助言とをいただいたことに、感謝している。

そしてもちろんユヴァル・ノア・ハラリには、私の絵を信頼し、彼の文章とともに地球半周の旅に連れだしてくれたことに、心から感謝している。

——リカル・ザプラナ・ルイズ

この本について

『人類の物語 Unstoppable Us』第1巻では、人類がまだアフリカのサバンナで暮らし、チーターやハイエナにおびえながら生きる弱々しい類人猿だった時代から、地球上でいちばん強い動物になって見上げるほど大きいクマやマンモスをつかまえるようになるまでの、数々の冒険を見てきた。この第2巻では、人類がどのようにしてイヌ、ニワトリ、ウシなどの動物を支配できるようになったのか——そして、一部の人がどのようにしてほかの人々を支配できるようになったのかを探っている。なぜ一部の人が王や王女になり、ほかの人々は王や王女の宮殿で掃除や洗濯を引き受けなければならなかったのかな？ そもそも、王や宮殿は何のためにあるんだろう？

人類の歴史はとほうもなく広大で、人々の心をひきつける。だからこそ、人々は何千年ものあいだ、自分たちはどこからやってきたのかを知ろうとしてきた。そして大昔の人々が残したものから、私たちはそのころの人々の暮らしを知ることができる——古代の宮殿の遺跡、割れた壺、遠い昔に死んだ人の骨、さらに、何千年も前の学校の生徒が書いた

ノートまで、残されたものはたくさんあるからね。

この本で取り上げている一部のできごとには、たくさんの証拠が残っている——大昔のノートもそのひとつだ。またそのほかに、ほとんど証拠が残されていないできごとも取り上げている。科学者たちは経験にもとづく推測によって、わからない部分を埋めているからね。わからないことはたくさんあって、科学者たちの意見がわかれることもたくさんある。この本は最新の発見をもとにしているけれど、過去についてわかることは、絶えず増えつづけていることも知っておいてほしい。大昔の宮殿の遺跡や大昔に死んだ人の骸骨などが、少しずつ発見されている。

この本では、いちばん新しい科学的発見をわかりやすく、しかも楽しいやり方でみんなに伝えるために、架空の人物がたびたび登場して架空の会話をする。もちろん、そうした会話がじっさいにあったわけではない。けれども、会話によって描かれているできごとはじっさいに起きたもので、そうしたできごとによって、私たちが今もまだ暮らしているこの世界が生まれてきたんだよ。

著者

ユヴァル・ノア・ハラリ
Yuval Noah Harari

イスラエルの歴史学者、哲学者。1976年生まれ。オックスフォード大学で中世史、軍事史を専攻して2002年に博士号を取得。現在、エルサレムのヘブライ大学で歴史学を教えるかたわら、2020年のダボス会議での基調講演など、世界中の聴衆に向けて講義や講演も行なう。また、『ニューヨーク・タイムズ』紙、『フィナンシャル・タイムズ』紙、『ガーディアン』紙などの大手メディアに寄稿している。著書『サピエンス全史』『ホモ・デウス』『21 Lessons』(以上、河出書房新社)は世界的なベストセラーとなっている。社会的インパクトのある教育・メディア分野の企業「サピエンシップ」を、夫のイツィク・ヤハヴと共同設立。

絵

リカル・ザプラナ・ルイズ
Ricard Zaplana Ruiz

1973年、バルセロナ生まれのイラストレーター。映画やテレビの世界で仕事を始め、ディズニーやレゴなどのブランドの、子ども向け書籍や雑誌のイラストを手がける。

訳者

西田美緒子
にしだ・みおこ

翻訳家。津田塾大学英文学科卒業。訳書に、G・E・ハリス編『世界一素朴な質問、宇宙一美しい答え』『世界一シンプルな質問、宇宙一完ぺきな答え』、R・ウォーカー著／K・ブライアン監修『こども大図鑑 動物』(以上、河出書房新社)など多数。

人類の物語 Unstoppable Us

どうして世界は不公平なんだろう

2023年10月20日　初版印刷
2023年10月30日　初版発行

著者
ユヴァル・ノア・ハラリ

絵
リカル・ザプラナ・ルイズ

訳者
西田美緒子

発行者
小野寺優

発行所
株式会社河出書房新社
〒151-0051　東京都渋谷区千駄ヶ谷2-32-2
電話03-3404-1201［営業］
　　　03-3404-8611［編集］
https://www.kawade.co.jp/

装幀・組版デザイン
木庭貴信＋角倉織音（オクターヴ）

組版
株式会社キャップス

印刷
大日本印刷株式会社

製本
小泉製本株式会社

Printed in Japan　ISBN978-4-309-62932-2

人類の
Unstoppable Us
物語

人類の
Unstoppable Us
物語
ヒトはこうして
地球の支配者になった
ユヴァル・ノア・ハラリ
リカル・ザプラナ・ルイズ[絵]　西田美緒子[訳]
河出書房新社

ヒトはこうして
地球の支配者になった

ユヴァル・ノア・ハラリ[著]
リカル・ザプラナ・ルイズ[絵]
西田美緒子[訳]

小学生
からの
人類史

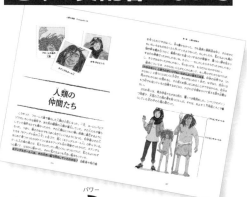

きみも世界を変える力をもっている!!

河出書房新社

魔法の世界地図

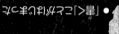